JN131655

福井県と北海道の縁（えにし）

北国諒星
Ryousei Hokkoku

～北海道移民史を中心として～

北海道出版企画センター

はじめに

―武田信広の存在・本稿のねらい・北海道移民史の特色―

本稿は、歴史上の「福井県と北海道の縁（えにし）」を、移民史を中心に紹介しようとするものだ。

筆者は福井県生まれの福井県育ちでありながら、社会人となって以来、縁があって主に北海道の札幌に住み、北海道史の研究をライフワークとし、この地に故郷・福井県と同じくらい愛着をもって過ごしてきた。

また、平成28年（２０１６）には『歴史探訪　北海道移民史を知る！』（北海道出版企画センター、２０１９年二版）という本も出版している。

そういうことから、このテーマについては、他のひとよりいくらか書きやすい気がしている。

松前氏家祖・武田信広の存在

福井県と北海道といえば、かつて蝦夷地と呼ばれた北海道を支配した松前氏の家祖・武田信広（１４３１～９４）のことに触れなければならないだろう。

信広の出自については諸説があるが、松前藩側の記録によれば、

①　若狭国（福井県の西部）の後瀬山城（小浜市伏原。ただし、この城は大永2年＝１５２2＝に築城されたものなので、前身である青井山城のようだ）城主・武田信賢の長子で、幼名を彦太郎と称した。世継ぎ問題から宝徳3年（１４５１）家臣の佐々木繁綱・工藤祐長ほか3人とともに国を出て、関東の足利に下った。

ちなみに、若狭武田家の家督はその後、信賢から弟・国信が引き継いでいる。

注・この甲斐源氏・若狭の守護職武田氏の一族がルーツだという説（松前藩の史書『新羅之記録』）に対し、『若狭武田系譜』には信広の名はなく、出自のよくわからない謎の人物ともいわれている。中には陸奥・南部氏の一族だという説もある。

②　享徳元年（１４５２）、陸奥の田名部にいたり、蛎崎を知行。2年後の同3年8月、

相原政胤・河野政通らとともに安東政季（あんどうまさすえ）に従い、蝦夷地に渡った。その後、先に渡道していた上ノ国花沢館（たて）主・蛎崎季繁（かきざきすえしげ）のもとに拠った。

③　渡道後の信広と季繁との関係について、『新羅之記録（しんらのきろく）』は、季繁が信広を副として置いたと記しながらも、安東政季が秋田に渡った際には、上ノ国を信広に預け、季繁を副として置いたとしている。また、コシャマインの戦い（長禄元年＝１４５７）当時に関する記述でも、信広を「上之国之守護」としているが、『福山秘府』では、茂別の下国家政を「下国守護」、季繁を「上国館主」としている。

しかし、当時、道南の諸豪族に対する政治的支配者は安東氏であり、各館主も安東氏との関わりで存在し、蛎崎季繁も例外ではない。また、コシャマインの戦いの鎮圧直後、「下之国」の守護下国家政が蛎崎季繁のもとに来て謝意を表したうえで、信広に大刀を与えていることや、信広がこの武功により各館主の勧めもあって季繁の養子になっていることなどの経緯からすると、信広は季繁に副置されていたものと推測される。

④　コシャマインの戦いを契機に、道南の12館主間の力関係、信広と季繁の関係にも大きな変化が生じたようだ。

アイヌ民族軍の攻撃で、志濃里（しのり）の館をはじめ、箱館・中野・脇本・穏内（おんない）など、道南の

10館が相次いで攻め落とされ、残るは下国家政の茂別館と蛎崎季繁の花沢館のみとなった。

この時点で信広は和人軍の総大将となり、アイヌ民族軍に反撃を加え、首長コシャマイン父子及び多数のアイヌ民族を討ち、鎮圧に成功した。

⑤ その後、前述したように、下国家政が上ノ国に来て季繁に謝したうえ、家政・季繁とともに信広に大刀を与えた。さらに信広は季繁の養女（安東政季の娘）を妻として蛎崎家の家督を継ぎ、安東家から支配者としての正統性の承認を得ることに成功した。
この段階で、信広は実質的に道南の和人勢力の指導者の地位を獲得、季繁に代わって政治的地位を得たと見られる。

こうして信広は勝山館（檜山郡上ノ国町字勝山）に居を定めて、蝦夷島支配者としての第一歩を踏み出していく。


武田（蛎崎）信広は、ほぼ以上のような経過をたどって覇権（はけん）を握った人物であるが、明応3年（1494）に上ノ国で死去した。享年64。

信広の志は、光広（蛎崎氏）—義広—季広—慶広（よしひろ）（松前氏）と引き継がれ、松前慶広が初代の松前藩主に就任している。

本稿の狙いとキーワード

先に触れた武田信広の存在の話を別格として、本稿の執筆を決意すると、ごく自然に三つのキーワードが頭に浮かんできた。それは、

① 福井県人の北海道移民史を中心にしつつ、
② 合わせて幕末・維新時における山間小藩・大野藩の蝦夷地での活躍、
③ 明治2年（1869）に創設された「開拓使」という役所に出仕していた二人の人物（元越前福井藩出身の大山重（しげる）と山本洪堂（こうどう））の活躍

を、まとめて書こうという発想だ。

これも、筆者が北海道の住人となって以降、長期間、北海道開発そのものの仕事に携わり、離れてからも北海道屯田倶楽部・北海道りょうま会その他の歴史関係の団体に所属するかたわら、歴史講座を主宰したり、開拓史研究家・作家として活動してきたことなどから来ていると思う。また、北海道の地名を勉強したことも、間接的に役立つだろうと思えた。

ところで現在、私の周囲にいる〝道産子〟たちに、

「あなたの父母、もしくは祖父母は何県から来たのですか？」

と尋ねると、多くは本州各府県などから移住してきた人たちの子孫なので、

「○○（府）県です」

という答えが返って来る。だが、間もなくこうした状態もまもなく消えていくだろう。それとともに、屯田兵を含めたかつての移住民の、いわゆる「開拓者精神」―不屈の精神といったようなものが薄れていくとすれば、残念な気がする。

著者としては、そういうことに人一倍、興味を抱いているので、先に出した北海道移民史の本の各論―福井県人編―を書くようなつもりで、本稿を書き進めていくこととしたい。

なお、『歴史探訪　北海道移民史を知る！』を書いた経験から、北海道移民史の特色としていくつか思い浮かんだ点を、予め簡単に紹介しておきたい。

〔北海道移民史の特色〕

① 幕末以前、蝦夷地を支配した松前藩は、総じて移民招致には消極的で、ごく一部を除いて極度によそ者の流入を規制していた。
例外的に、幕府が直轄支配していた時期には、やや前向きに取り組まれ、一定の実績が

積み上げられたが、幕府の財政難から一定の限界があった。

② 幕末～明治～大正と時代を経るに従い、移民が徐々に増加していったが、特に、北海道庁が明治19年（1886）に創設されて以降、時勢や政策の効果もあり、顕著な増加を遂げている。

それ以前の開拓使（明治2年創設）も、移民の拡大には努力したが、発足時の基礎数（北海道の総人口）が約6万人とごく少なかったことなどもあり、移民招致できた戸数・人数はそう多くはなかった。

③ 明治期の初め（10年代末頃まで）の移民は、士族・屯田兵といった保護的移民が多くを占め、一般移民は少なかった。

④ 屯田兵は全道で37兵村を築き、家族を含めると、約4万人の人たちを定着させている。また、北方警備への貢献はもちろん、他の一般移住民の誘致要因にもなり、未開不便の土地に入って開拓の先駆となって社会に感化を与えるなど、拓殖上果たした役割は大きかった。

なお、屯田兵は当初、士族が中心であったが、のちに農民など平民にも招致の対象を拡大した。

⑤　明治中期（20年代）には、本州・西日本を中心に地主制の発展が顕著で、小作化した農民の中から多数の離村者が出るようになった。彼らには、外国移住を含め多様な生き方があったが、明治20〜30年代にかけては、北海道への移住が多く選択されたようだ。

⑥　移民がとくに盛んになったのは、明治25年〜大正10年（1892〜1921）頃である。この間の移民は約188万7、000人で、東北地方（約76万人）、北陸地方（約56万人）、四国地方（約14万人）の順に多い。また、明治27〜31年、同38〜42年、大正4〜8年の三つにピークがある。

⑧　東北・北陸地方からの移民が多いが、明治20年代末期頃には、両地域に続き四国地方からの移民もかなりのウェイトを占め、この傾向はその後も続く。

⑨　大正期における移民は、青森・秋田・岩手・宮城など東北地方からの者が多い。

⑩　農業移民は、単独移住より団体移住（団結移住）の方が成果があがったようだ。

⑪　第二次大戦後の戦後開拓民は、想定していた条件とは著しく違った、はるかに厳しい、悲惨な現実下に置かれ、離農率も高かった。

福井県と北海道の縁（えにし）

―北海道移民史を中心として―　目次

第二章　福井県人の北海道移民史

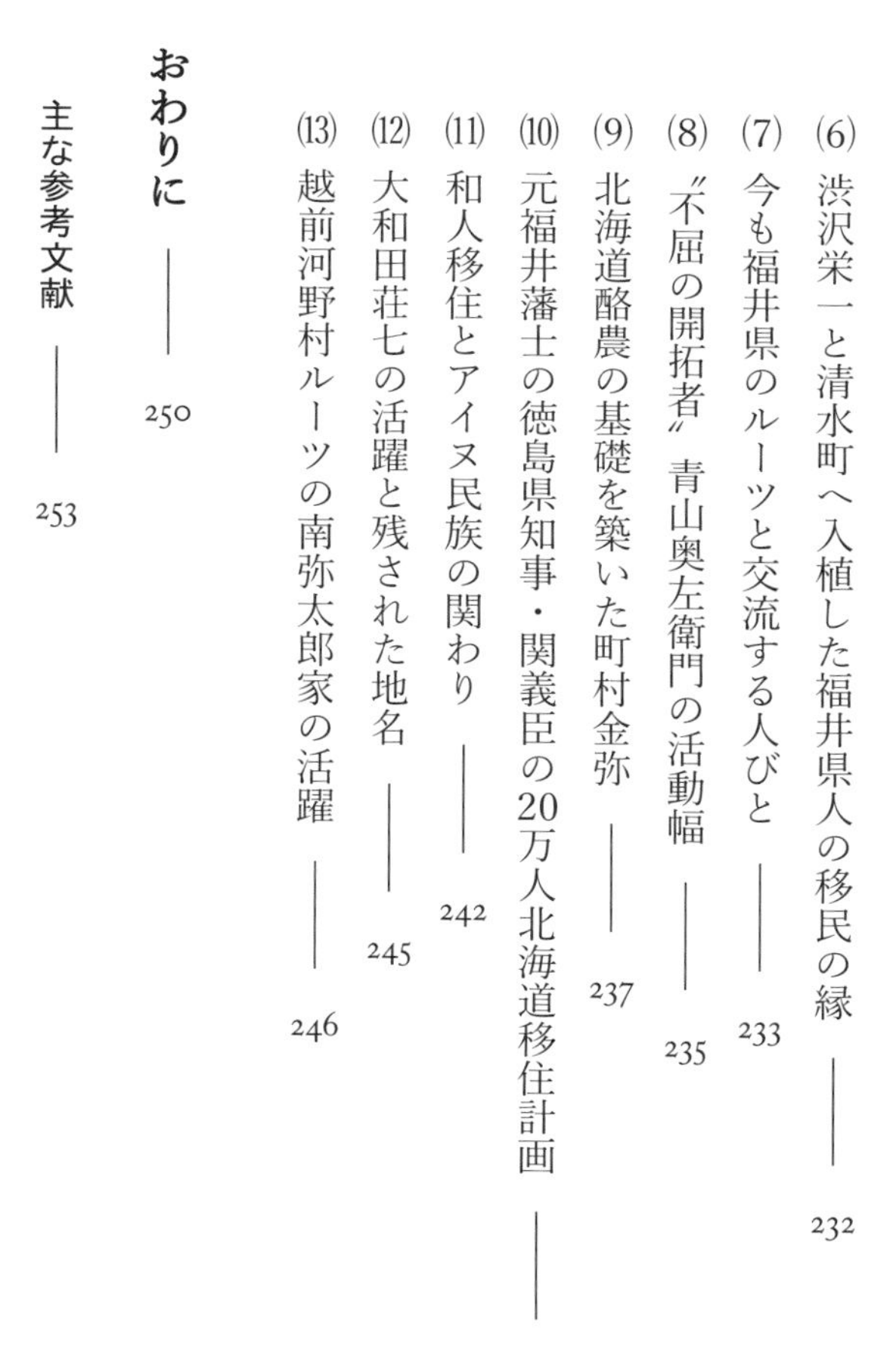

第一章　幕末維新時の福井県と北海道

一　山間小藩・大野藩の蝦夷地への夢

〝越前の小京都〟

筆者の郷里は、福井県の石川県境に近い、坂井市丸岡町というところである。この町には、天正4年（1576）にできたという古城・丸岡城がある。築城したのは、越前北の庄城主・柴田勝家の甥（おい）にあたる柴田勝豊（かつとよ）という人物らしい。

丸岡からやや内陸方面にいくと山間に開けた大野盆地があり、ここには、やはり旧城下町で〝小京都〟と呼ばれる大野市がある。風景や湧水に恵まれ、文字どおり〝山紫水明〟の地だ。

ここの城は、大野城（亀山城）といい、丸岡城と同じく天正4年に、織田信長配下の武将・金森長近が築城したといわれる。

この町を、岐阜と結ぶ美濃街道がつらぬいており、人口は今でも4万人足らずで、こじんまりした、落ち着いた雰囲気を漂わせて旅人の人気を集めている。

ところで、この山間の地の小藩・大野藩は、意外なことに、かつて〝蝦夷地〟と呼ばれていた北海道や、〝北蝦夷〟と呼ばれていた樺太に、深いかかわりを持った時期があったのである。

ここでは、このあたりのことについて触れる。

大野藩主・土井利忠の藩制改革

越前大野藩の藩祖は、幕府の創成期に活躍した大老・土井利勝の三男利房である。利房は、常陸（茨城県）の下妻から入った人で、幕府若年寄や老中をつとめたあと、４万石の知行高で大野に入封した。

それからやや時を経て、７代藩主土井利忠の世になると、利忠は開明的な改革派家臣・内山良休（七郎右衛門）、内山隆佐兄弟らを抜擢・登用して、大胆な藩政改革を行なった。

すなわち、天保13年（１８４２）から、藩士の禄高の削減や倹約令の実施、人材の登用を行なったほか、新たに産物所を設けて、漆、生糸や絹糸、タバコ、麻、茶などの奨励に力を入れた。また、物産の商品化や面谷鉱山の増産をはかるなど、異色ともいえる殖産興業政策を取り進めた。そして、さらには蝦夷地開拓・交易まで、視野に入れていたのだ。

これによって財貨を獲得し、多年の負債にあえぐ藩財政の建て直しを謀ったのである。

利忠の改革は、そのほかにも実に多岐にわたっていた。例えば藩校明倫館の開設、種痘の実施と済生病院の開設、西洋砲術の採用と軍制改革、洋学館の開設と洋書の翻訳・出版といった具合である。

こうした積極策により、のちに藩財政は好転し、〝越前の山間の雄藩〟としてその名を馳せることになる。

なお、藩主土井利忠は幼少から学問を好み、江戸藩邸に朝川善庵や杉田成卿を招いて、儒学や蘭学に精進したといわれる。

大野屋と大野丸

特筆すべきことに、大野藩は、越前の山間にある小藩にもかかわらず、〝大野屋〟というノレンをかかげた藩直営の店舗（商店）を領内外に設けたうえ、〝大野丸〟という西洋帆船（安政5年進水）まで走らせて、物産販売や貿易活動に当らせたのだ。

以下、この点について詳述していきたい。

安政2年（1855）5月、大野藩はまず、最初の店舗を大坂に開設した。そして、これを手はじめに、領内、箱館、岐阜、敦賀、名古屋などに次々と開設していった。

その店舗数は、後年のことだが、明治7年（1874）7月、最後の店舗を福井の佐佳枝町に開店するまでに、全国で12カ所にもなったという（印牧邦雄『福井県の歴史』）。

取り扱う物産も、領内の特産物から少しずつ拡大していき、さらに金融業もこなすようになり、かなりの利潤をあげていたらしい。

特に安政3年（1856）、蝦夷地開拓の前進基地ともいうべき箱館に店舗が設けられると、両蝦夷地（北海道・樺太）で活発な交易を行なうようになった。

なお、この頃、内山兄弟はともに年寄となって蝦夷地総督に任じられ、兄良休が「内ヲ治メ」、弟隆佐が「外ヲ務メ」る体制ができあがったようだ。

隆佐は、安政6年には大野丸の処女航海を指揮して箱館へ行くなど、蝦夷地「開拓」を主導したという。

彼は元治元年（１８６４）、52歳で逝去するのだが、その残した記録によると、箱館には関西や四国、九州におよぶ各地の物産（砂糖、塩、織物など）や、江戸の団扇（うちわ）、錦絵、小間物などが送られたようだ。

一方、両蝦夷地からは、昆布（こんぶ）、干し魚などの海産物を仕入れ、江戸や大坂などで売りさばいていた。

ところで、幕府は嘉永６年（１８５３）８月のロシア提督プチャーチンの来日に驚き、北辺の防衛や開拓の重要さを痛感していた。特に樺太は日露両国が雑居している状態で、しかもロシア人の移住が盛んになっていた。

そうした最中の安政２年（１８５５）３月、幕府は蝦夷地を松前藩から取り上げる一方、10月に入ると、全国の諸藩に対して、蝦夷地開拓の希望を申し出るように募（つの）った。

これに対して、越前大野藩は、即座に反応したのだった。

蝦夷地進出の決定と蝦夷地探査の決行

内山兄弟を中心とした重臣たちの会議で、「蝦夷地進出」の藩論が取りまとめられ、12月、幕府に願書を提出した。その主旨は、次のとおりである。

「わが藩では、かねて漢学、洋学、兵学などを研究してきたが、これはただ学ぶというだけではなく、わが国のために尽くす目的で、励んできたのである。

しかもわが藩は、北寄りの山間極寒の地であり、毎年雪が五、六尺も積もり、時には一丈にもなる土地である。領民はこのような厳寒の地に成長し、狩猟や漁労に慣れていて、身体はいたって強健である。

これを機会に、ぜひわが日本のため、主家のために尽くしたい」

翌3年3月、大野藩は内山良休を蝦夷地用懸り、内山隆佐を総督に任命し、総勢30数人を江戸と敦賀から出航させて、蝦夷地に派遣した。

蝦夷地に上陸した一行は、この地の西南部を中心に探査し、その結果を建白書の形で幕府の現地機関である箱館奉行へ提出した。

その中で内山隆佐は、長崎や下田に比べて箱館の孤立した無防備さを鋭く指摘し、はなはだ「寒心の至」と憂慮したという。また、北辺防衛のための屯田兵制導入や、放牧による馬産の振興についても、訴えたともいわれる。

しかし結局のところ、幕府は蝦夷地の直轄経営に傾き、大野藩へは下命されなかった。このため、一行はその年6月、いったんは帰藩している。

樺太開拓に乗り出す

その後も、大野藩ではあきらめなかった。藩士早川弥左衛門が熱心に献策をして、こんどは北蝦夷、つまり樺太の開拓に乗り出そうということになった。

早川らの現地探査などを経て、安政5年（1858）3月、大野藩は、ついに幕府より樺太西海岸のライチシカから、その北方の北緯50度近くのホロコタンまでの領域の開拓を許された

早速、藩では屯田司令に早川を当て、安政6年（1859）3月、開拓総督の内山隆佐をはじめとする藩士10余名、領民20名を乗せた大野丸（吉田拙蔵船長）を、敦賀の港から出航させた。

大野丸は箱館に入港し、内山隆佐はこの地にとどまった。早川ら他の者は、全員、北緯49度近くのウショロを目指して再び旅立って行った。

実は大野藩では、蝦夷地の経営のため、船を所有する必要を感じて、あらかじめ、手を打っていた。

すなわち、吉田拙蔵を幕府の海軍所にわざわざ入所させ、航海術を習得させたのだ。さらに安政2年（1855）、箱館用達（商人）栖原角兵衛（すはらかくべえ）が建造しょうとしていた船体を買い取って、武蔵羽田の稲荷（いなり）新田船場で造船に着手したのだった。

この船の大きさは、長さ18間（32・4㍍）、幅4間（7・2㍍）、深さ3間（5・4㍍）であったという。タイプは二本マストの洋式帆船（スクーナー型）で、安政5年（1858）6月末に竣功し、7月に品川沖で進水したらしい。

蝦夷口掛硯日払張によれば、製造費用は7、239両（現在のお金で約2億円）で、大野屋の売上金から支払われたようだ。「大野丸」という船名は、藩主土井利忠が自ら命名した。

もちろん、当時のわが国の造船技術としては最新鋭を誇るもので、アネロイド晴雨計などの西洋製の装備もかなり用いられていたそうである。

大野丸は、もっぱら敦賀、えぞ地、樺太間を往復して、いろいろな物産を輸送し、大野藩の財政健全化や殖産興業の一翼を担った。

なお、翌安政6年8月、大野丸は、箱館近海で難破したアメリカ商船ヘスペリーン号の乗組員を救助する、といった行動もしている。

内山隆佐の活躍

このあたりで、一連の政策実現の中心となった内山隆佐という人物について、やや詳しく述べる。

隆佐は、文化10年（1813）に越前大野藩士の内山良倫（りょうりん）の次男として生まれた。諱（いみな）を良隆（よしたか）、号を貫斎という。兄に同藩の重臣の良休（七郎右衛門）がいる。

隆佐は早くから学問を好み、天保4年（1833）に江戸で佐久間象山などに師事して、兵学や経世の学を修めた。

のちに藩主土井利忠に抜擢（ばってき）され、天保13年（1842）からの藩政改革で作事奉行、藩校明倫館教授兼幹事や藩領西潟の代官などを歴任。安政3年（1856）以後は、藩の蝦夷地開拓事業をリードした。

すなわち、蝦夷地総督として蝦夷地・樺太の探検・開拓に専心、箱館の藩直営店舗・大野屋を拠点として、現地で活躍している。

文久3年（1863）には、藩の軍事総督に任命され、新藩主の土井利恒（としつね）に従って上洛したが、持病が悪化して、翌元治元年（1864）に大野で逝去したといわれる。

大野藩による蝦夷地開拓は、こうして壮大な意気込みをもって始められたのだった。

開拓のいきづまりと大野丸の座礁沈没

しかしながら、実際に進めてみると、膨大な経費を要するなど小藩による経営には、かなりの困難を伴うことが次第に明らかになる。

ついには資金面で行き詰まり、幕府の援助がないと開拓地の返上を申し出るほかない、というところまで追い込まれてしまった。そこで、幕府に窮状を訴え出たところ、幕府は非常に驚き、万延元年（1860）8月、大野藩主土井利忠を呼んで、

「樺太で引き渡した土地は、すべて領土と同様に心得、開拓に精を出すよう。そして助成費の代わりに、藩の江戸表（えどおもて）の御用を一切免除する」

と申し渡した。こうして樺太西海岸の一部が、大野藩の準領地となり、同藩は辺境の守りと開拓につとめた。

しかし、文久2年（1862）、蝦夷地開拓に熱意をもった藩主利忠が引退する（土井利恒が襲封）にいたり、さらに元治元年（1864）6月には、前述したように、内山隆佐（まだ52歳だった）が逝去してしまった。

加えて、その年8月28日には、もっと衝撃的な事件が起きた。なんと、藩船大野丸が根室沖で座礁沈没する、というアクシデントに見舞われたのだ。

大野藩にとっては、まことに大きな痛手であった。

隆佐の死と大野丸の沈没によって、大野藩の樺太開拓は、事実上、終止符を打ったといってよい。

この後も人員が派遣されて費用もつぎ込む結果になったが、ついに明治元年（1868）3月29日、大野藩は藩領地を明治新政府に返還し、開拓にピリオドを打ったのである。

このときの返還は、吉田拙蔵の名で行われたというが、理由は、北蝦夷地（樺太）はなんといっても「隔海絶遠、無人広漠の土地」で、物価と運送費の高騰で採算がとれず、もともとの小藩が「必至疲弊」したので、上知したい、というのであった。

なお、のちに開拓使の判官になった岡本監輔は、明治4年に樺太を一周しているが、そのときの航海日誌（『窮北日誌』）に、樺太のウショロ辺りに「土井氏の士二人有り」と、二人の元大野藩士に出会ったことを記している。

なお、大野藩の樺太におけるこうした行動は、のちの樺太千島交換条約やポーツマス条約の締結をめぐる交渉に、何らかの影響を与えたことも考えられる。

幻と消えた箱館裁判所副総督ポスト

慶応4年（1868）4月、明治新政府は、箱館にあった幕府の箱館奉行所に代わる現地機関として、「箱館裁判所」の設置を打ち出した。

ただし、「裁判所」という名ではあるが、司法機関ではなく、当時、大阪・長崎・京都など開港地や重要都市に置かれた「12の地方行政機関」の呼称である。

このとき、箱館裁判所の布陣として、トップの総督に、皇族の仁和寺宮嘉彰親王（にんなじのみやよしあき）（小松宮彰仁。軍防事務局督）を、副総督には公家の清水谷公考（きんなる）と、樺太警備・開拓に功のあった越前大野藩主・土井利恒の二人を据えることになった（注・詳しくいうと、この3人の辞令には、「但　限三年」という但し書きがついていたという）。

また、実務担当の判事・権判事としては、井上石見（いわみ）（長秋。権弁事。鹿児島出身）、松浦武四郎、岡本監輔（文平。阿波徳島出身）、小野淳輔（じゅんすけ）（高松太郎。土佐出身。のちに坂本直と改名し、坂本龍馬家を継ぐ）、堀真五郎（長州出身）、山東一郎（和歌山出身）、宇野監物（巖、玄溟）らを任命した。

ところが、総督の仁和寺宮と副総督の土井利恒の二人は、その後の事情で、赴任前に就任を辞退してしまった。土井の場合、詳しくは「疾ヲ以テ暇ヲ請ヒ、藩ニ帰ル」とあり、赴任途上、敦賀で辞職している。

このため、閏四月五日、急きょ、弱冠24歳の清水谷公考が総督に就任し、箱館に赴任している（清水谷の行動・人柄などの詳細は、拙著『青年公家・清水谷公考の志と挫折―箱館裁判所・箱館府の創設と箱館戦争の狭間―』（北海道出版企画センター）参照）。

なお、箱館裁判所は、閏4月24日には「箱館府」と改称されている。

箱館戦争に参戦

慶応4年（明治元年、1868）5月の箱館裁判所（のちの「箱館府」）誕生に伴う蝦夷地の警備については、当初、旧幕府時代と同様に、秋田・仙台・盛岡・弘前・松前の5藩が精兵の派遣を命じられ、これを担当することになった。

これら各藩は、旧箱館奉行所から引き継いだ若干の銃と砲兵以外に手勢を持たない箱館府に代わって、蝦夷地の治安維持に当たることになったのだ。

しかし、東北4藩は本国自体が戊辰戦争に巻き込まれる危機にさらされており、初めから派兵協力の余裕に乏しかった。また、松前藩も、「正議隊のクーデター」と呼ばれる藩内尊攘派による藩政革新が進行中で、自領の保全が精一杯という状態であった。

そうした中、9月7日、大野藩は新政府・軍務官から戊辰戦争の最終段階の箱館戦争へ出兵するよう求められた。戦う相手は、榎本武揚の率いる旧幕府脱走軍（榎本軍）——いわゆる「蝦夷島政権」の精兵たち——である。

これを受けて、大野藩では直ちに出兵準備にとりかかる。総督に家老・中村雅之進、副総督に岡気一を任命し、総勢四小隊150人の陣容であった。こういうことになったのは、

① 大野藩がかつて樺太を含む蝦夷地開拓の第一線に立ったこと、
② 洋式軍制による強兵策で実効をあげていたこと、
③ 藩主土井利恒が一時的とはいえ、箱館裁判所副総督に任じられたこと、

などによると見られる。

9月25日、大野城下を出発した一行は、10月8日英国船モナ号に乗船して敦賀（つるが）の港（福井県敦賀市）を出航し、20日には箱館（函館市）に到着した。

新政府の現地機関・箱館府の清水谷公考が指揮する箱館守備隊は、それまで箱館府兵1

００人と松前藩兵若干数（有川の一小隊）のみだったが、大野藩兵１５０人のほか、備後福山藩兵７００人が加わり、やや増強されたのだった。

10月20日、榎本軍はついに道南の鷲ノ木（茅部郡森町）に上陸し、22日頃、峠下（亀田郡七飯町）付近で箱館府側の軍（箱館府・松前藩・弘前藩・大野藩の兵約３００余人）との最初の戦闘が行われた。

しかし、夜を徹しての激戦に敗れた箱館府側の軍は後退し、翌23日以降の箱館付近・大野村などの戦いでも全般の形勢が悪く苦戦を続けた。

五稜郭にいた清水谷公考も24日には青森へ一時。退却することを決意し、翌25日未明、側近とともに箱館港からカガノカミ号（のちに「陽春」と改名）という船で脱出した。

残された大野藩・備後福山藩・弘前藩の兵たちも、同日夕刻にはタイバンヨー号で青森港へ向かった。

11月19日には松前藩主・松前徳広も熊石（二海郡八雲町）から脱出し、北海道全域は榎本政権の支配下に入った。

大野藩兵は翌明治2年の正月を青森で迎え、進撃体制を整えた。そのうち、松前、長州、徳山、津軽各藩などの兵とともに、北海道への反攻を命じられた。

4月5日、大野藩兵らは米国船ヤンシー号に乗船して江差沖に近づき、榎本軍の発砲にも応じず北行、乙部（おとべ）村（爾志郡乙部町）に着岸して、激しい弾雨の中で上陸作戦を決行した。次いで江差に向けて進撃を続け、大いに戦果をあげた。

その後、木古内（きこない）（上磯郡木古内町）の戦いでは、大野藩兵は一人の犠牲者も出さずに榎本軍を退却させた。さらに泉沢村（木古内町）を出発し、諸藩兵の来襲を待って新政府軍海軍の砲撃の支援を受けながら、敵陣に猛攻を加えた。

榎本軍もたまらず、退却したのであるが、その際、大野藩兵も戦死者6人、重軽傷者18人という犠牲者を出している。

こうして敵の本拠である五稜郭の包囲網を狭めていったが、榎本軍は、降伏説得に応じようとしなかった。

5月16日、七重浜（北斗市七重浜）で待機していた大野藩兵は、五稜郭包囲攻撃に加わり、郭内に侵攻して榎本軍との激闘を展開した。

翌17日早朝になって、ついに榎本軍の四首脳――榎本武揚、松平太郎、大鳥圭介、荒井郁之助が馬に乗って出郭した。大野藩兵は亀田村（函館市亀田地区）あたりまで彼らを護送して、新政府軍の黒田清隆、増田虎之助（明道）両参謀に面談させ、そのあと再び四将を郭内に送り返した。

翌18日、榎本武揚らの軍は、新政府軍に降伏帰順した。

この戦争の終了後、大野藩兵はいったん東京に立ち寄り、藩主土井利恒の閲兵（えっぺい）を受けたのち、大野に帰藩している。

二　開拓使に出仕した大山重と山本洪堂

(1) 大山　重（渡辺剛八）亀山社中・海援隊・振遠隊・屯田兵創設に情熱

福井藩士から亀山社中・海援隊の隊員に

明治初期に渡道し、開拓使に入って開拓行政や屯田兵創設などに携わった人物に、大山重（しげる）がいる。

この人物の経歴などはほとんど知られていないが、極めてユニークな過去を持っていることが、最近になって分かってきたのだ。

筆者がこの人物に初めて関心を抱いたのは、平成20年（2008）10月の「〝全国龍馬ファンの集い〞福井大会」の頃である。

福井県出身の筆者は、北海道龍馬会の会員（理事）の立場で参加したが、行事が終わって帰途につこうとしていた時、主催者である越前龍馬会の牧田活宜会長（当時）に呼び止められた。

「元越前藩士の大山重という人物の道内での足跡を調べ、教えてほしい」

というのだ。名前を聞いてすぐ、〈明治2年（1869）7月に発足した開拓使に在職し、宗谷や小樽などに勤務した人物だな〉とは思い当たったが、経歴の詳細はつかんでいなかった。

そこで、札幌に戻ってから調べ出したところ、以下のようなことが判明してきたのである。

大山重は、もとの名を「渡辺剛八（ごうはち）」といった。坂本龍馬ファンの方々にとっては、この名の方がピンと来るのかも知れない。

渡辺剛八は、天保12年（1841）9月15日、越前（福井県）の城下町福井の地蔵町（福井市宝永1丁目）に生まれた。

長じて開明君主といわれた松平春嶽（慶永）や、橋本左内、由利公正らのいた福井藩の藩士となったらしい（この頃以降、彼は、渡辺剛八のほか柴田八兵衛、大山壮太郎・大山壮八などの別名も使っている）。

その後の行動は必ずしも明確ではないが、諸情報を総合すると、文久3年（1863）に上京し、同年末頃、船で大坂へ出たようだ。

元治元年（1864）10月頃、第1次長州征伐に参加したといわれる。帰還後の慶応元年（1865）閏5月には、征長の褒賞として銀一枚を与えられたという。

またこの年12月に、名前を「剛八」から「鳳介」に改名したともいう。

翌慶応2年7月、希望していた長崎へ旅立ったようだ。そして、これ以降、坂本龍馬が興した「亀山社中」やその後身に当たる「海援隊」に所属したと考えられる。

ちなみに、亀山社中―海援隊には、福井藩から山本龍二（関義臣）ら6人ほどの藩士が参加したのだが、参加者数では、土佐藩に次いで多かったらしい。渡辺剛八もその中の一人だった。

このあたりは、松平春嶽やその顧問格の学者・横井小楠（熊本藩士）、福井藩士・由利公正らと、坂本龍馬及びその師である幕臣・勝海舟との密接な人間関係からして、決して奇異なことではなかったのだろう。

ともあれ、土佐藩に次ぐほどの数の隊士を、福井藩は送り出していたのだ。

いろは丸沈没事件・イカルス号事件で活躍

慶応元年（１８６５）３月、勝海舟が力を入れていた幕府の神戸海軍操練所が、廃止となった。

そこで、同所で学んでいた坂本龍馬らは、５月頃、長崎で海運・貿易などを行なう「亀山社中」を結成した。

詳細はともかく、渡辺剛八は、早くからこの社中に参加していたらしい。

翌慶応2年5月2日、「ワイルウェフ号沈没事件」が起きた。

五島列島沖の遭難で、亀山社中は持ち船・ワイルウェフ号を失って、坂本龍馬もいったんは社中の解散を決意した。

だが、龍馬は並みの男ではなかった。苦肉の策を思いつき、伊予大洲藩（愛媛県）に対し、同藩の藩船「いろは丸」の乗組員として渡辺剛八、その同僚・菅野覚兵衛（千屋寅之助）らを〃人材派遣〃したらしいのだ。

この時の渡辺の担当は「機関方」だった。

亀山社中は、まもなく土佐藩の庇護を受ける「海援隊」に改編され、伊予大洲藩から「いろは丸」を借り受けることに成功した。剛八も、引き続き機関方としてこれに乗り込んだようだ。

しかし、慶応3年（1867）4月23日、いわゆる「いろは丸沈没事件」が起きた。龍馬たちが乗る「いろは丸」が、瀬戸内海・鞆の浦（広島県福山市）沖で紀州藩の蒸気船「明光丸」と衝突し、沈没してしまったのだ。

この衝突事件の直後、剛八は「明光丸」に飛び乗って仲間を救助に当ったり、その後、長崎で行なわれた紀州藩と土佐藩・海援隊との間の賠償交渉にも同席したりして活躍した。

その際、彼は紀州藩側の高慢な態度に憤り、相手側に斬り込もうとして、龍馬に制されたという。

結局、紀州藩は薩摩藩の五代友厚に仲裁を頼み、紀州藩が8万3、500両の賠償金を支払うことに決まった。

賠償金は再交渉で7万両に減額されたが、「いろは丸」の持ち主・大洲藩には4万2、500両が支払われ、海援隊にも1万5、000両が支払われている。

慶応3年5月29日、坂本龍馬（才谷梅太郎名）から渡辺剛八と小谷耕三（同じ越前出身の海援隊士）に宛てた書簡が残されている。それによると、紀州藩との交渉が成立し、そのことを隊士一同に知らせるよう依頼するものである。

このように、渡辺剛八は留守がちな龍馬に代わり、幹部の菅野覚兵衛とともに海援隊を切り盛りしていたようなのだ。

海援隊の苦難は続く。同年7月、長崎でさらに「イカルス号事件」が起き、大政奉還に奔走している坂本龍馬に急報が届いた。

英国軍艦イカルス号の水兵2人が長崎の丸山で殺害され、犯人として海援隊員に嫌疑がかかったのだ。犯人は、海援隊と同じ白筒袖の服装（筒袖羽織）をしていたという。

事件後の土佐藩・海援隊と英国側との交渉は、困難を極めた。

このため、間に立った幕府の出先機関・長崎奉行所を含めたやりとりの中で、責任者の坂本龍馬や土佐藩の参政・後藤象二郎、岩崎弥太郎らは、散々な苦労を味わった。

情勢は断然、土佐藩・海援隊側に不利であったが、そうした中でも剛八や菅野覚兵衛は自説を曲げず、長崎奉行所の役人を手こずらせて、胆力・気骨のあるところを見せたという。

結局、土佐藩の後藤象二郎と英国公使パークスとの間の交渉を経て、犯人不明のままではあるが、9月10日に海援隊の嫌疑は晴れた。

なお、後日のことだが、翌慶応4年8月、事件の真犯人は福岡藩の金子才助であり、事件後に自殺していたことが判明している。

龍馬暗殺とお龍の妹・起美の結婚

前述したように、渡辺剛八と菅野覚兵衛は、坂本龍馬の留守中、隊を束（たば）ねる役割を果たしていたが、慶応3年（1867）11月15日、龍馬が京都・近江屋で何者かに襲撃され、暗殺されるという衝撃的な事件が起きた（「坂本龍馬暗殺事件」）。

数日後、剛八や菅野覚兵衛は、長崎でこの事件を知って激高。剛八は、

「上京して龍馬の仇（あだ）を討つ」

と息巻いたが、土佐藩大監察・佐々木高行らに説得されて、ようやく思い止まったとい

う。

坂本龍馬の死後、海援隊は二つに分かれる。

一つは長崎に残留したグループ、もう一つは京都・大坂に残留したグループであり、ほかに陸奥陽之助（宗光）のように、単独で行動した者もいた。

慶応4年（1868）1月、京都で「鳥羽伏見の戦い」が起き、新政府軍が旧幕府軍を打ち破った。

その報が長崎に伝わった直後、幕臣である長崎奉行・河津祐邦（すけくに）が、深夜、船で長崎を退去したため、長崎は無政府状態に陥った。

同日、土佐藩の佐々木高行は、海援隊士を率いて西役所（現・県庁）へ急行し占拠した（「長崎奉行所占拠事件」）。剛八は、沢村惣之丞ら同志とこれに参加したらしい。

その後、薩長土肥などの在崎諸藩が、奉行所に代わる行政機関「長崎会議所」を設立して、治安の回復に努めた。

2月には、新政府中央から沢宣嘉（さわのぶよし）（公家）が派遣されてきて、長崎会議所を引き継いだ「長崎裁判所」の総督に着任した。

3月に入り、同僚の菅野覚兵衛が坂本龍馬の妻・お龍の妹・起美（君枝）と結婚したが、このとき剛八は、その仲人をつとめている。

振遠隊結成に参加・奥羽戦線に出征

一方、赴任して来た沢宣嘉は、4月、旧長崎奉行所の警備隊「遊撃隊」を解散し、海援隊の一部・長崎奉行所付属・旧幕府遊撃隊の隊員らを中心として、新たに「振遠隊(しんえんたい)」を編成した。

振遠隊は英国式の教練を受け、筒袖に袴、両刀を腰に差し、ライフル銃を持ち、韮山(にらやま)式の笠をかぶった西洋式の軍隊となった。

隊員は当初、150人ぐらいであったが、最終的には350〜400人程度いたらしい。海援隊士の渡辺剛八をはじめ、石田英吉・菅野覚兵衛らは、振遠隊の幹部となった。このときをもって、長崎の海援隊は、事実上、「消滅」したのだった。

閏(うるう)4月27日、土佐藩から海援隊の渡辺剛八改め大山壮八（大山重）・菅野覚兵衛の両名宛てに、海援隊の解散を命じる通知が出されている。

その後、長崎振遠隊は、新政府から奥羽出征を命じられた。

その際、元海援隊士の渡辺剛八、石田英吉、菅野覚兵衛が「軍監」として、また後述する山本洪堂が「医官」として従軍している。

明治元年7月19日、一行は英国船フィロン号で長崎港を出港し、24日に船川港（秋田県）に到着、26日に秋田城下に入った。

その後、10月までの間、出羽、庄内、盛岡など奥羽各地を転戦している。

まず、7月29日には角間川（秋田県大曲市。横手盆地のほぼ中央部）の激戦に参加し、勝ち誇る庄内藩軍に一矢を報いた。

8月1日には横手に進み、8日には秋田藩領朝舞口で庄内藩軍を防いだ。

9月中旬には、山形藩、米沢藩を屈服させ、庄内藩軍とも戦闘を交えた。同月29日には盛岡藩の雫石（しずくいし）（岩手県岩手郡雫石町）に転戦し、10月2日には盛岡城に入って奥羽平定の目的をほぼ達成した。

この戦いでは、計17人が死亡（病死を含む）、13人が負傷したという。

なお、この間の8月、渡辺剛八は「奥羽鎮撫総督添参謀」（参謀添役）を命じられており、翌9月には、総督からピストル1挺、金25円を下賜された。また、10月には「監軍」を命じられたという記録も残っている。

明治元年（１８６８）12月20日には長崎に凱旋し、渡辺剛八も長崎の振遠隊に戻った一同には論功行賞があり、大山重をはじめ、石田英吉、野村要助（辰太郎）菅野覚兵衛に対し、短刀１、金２万疋が贈られている。

開拓使官僚として渡道

明治２年（１８６９）７月、開拓使が設置された。

この前後から、渡辺剛八は、「大山重（しげる）」、「大山壮太郎」などと名乗っているようなので、本稿でもここからは「大山重」の名を使用する。

大山重は、７月に新政府の大蔵省監督司権判事、８月に同省通商司権判事を経て、９月に開拓使に入り、大主典となった。

翌３年７月には樺太（からふと）開拓権監事、11月には樺太開拓監事兼任となり、樺太の開拓にかかわった。12月に北海道開拓監事兼任、小樽在勤となり、旧会津士族の余市移住にかかわったと見られる。

明治４年（１８７１）１月、開拓使の小樽仮役所で、旧会津士族のうち余市に入植を希望する者（斗南（となみ）藩代表広沢安任と隊長宗川熊四郎）の血判書が、開拓使監事・大山壮太郎（重）

宛てに提出されている。

旧会津藩士族は、明治4～5年にかけて渡道、余市郡に入植して「黒川村」「山田村」を建設したが、大山は行政（開拓使）側の立場でこれを支援したようだ。

村名の「黒川村」は、黒田清隆開拓次官（薩摩）と村民の総代・宗川熊四郎の名を、「山田村」は大山重（壮太郎）の「山」と、黒田清隆の「田」を、それぞれ合わせて付けられたという（異説あり）。

11月には、北見・天塩の実地検査を命じられ、12月2日には開拓権判官となり、宗谷支庁担当などを命じられた。

翌5年9月には開拓少判官（宗谷支庁）、同6年1月には「開拓監事」となった。2月に宗谷支庁が廃止され、留萌支庁の管轄となっているので、大山重も留萌支庁に勤めたものと推定される。

屯田兵創設に動き、事務局トップに就任

北海道における屯田兵創設の経緯にはいろいろな流れがあるが、樺太方面でのロシアの脅威増大に加えて、明治6年6月に起きた福山・江差騒動（漁民が漁税反対を叫んで蜂起）

が、大きな契機となったといわれる。

黒田清隆次官は、この騒ぎを鎮めるために自ら現地に乗り込み、陣頭指揮をしているが、結局、開拓使の組織力だけでは間に合わず、青森方面から鎮台兵を派遣してもらい、ようやく事態を収拾した。

同6月、黒田次官は開拓使の東京出張所に「屯田課」を設置し、本格的な屯田兵制度創設の推進を画策した。

この時、大山重は、屯田課に配属され、東京での任務に従事したようだ。

その後の9月頃、屯田課の課員である大山重をはじめ、安田定則、永山武四郎ら6人は、黒田次官に対して屯田兵の創設を建言した。

11月には、安田ら中堅幹部4人が、岩倉具視右大臣に対して北海道の兵備について建白。黒田次官も右大臣に対して、同趣旨の建議を行った。

12月に入ると、黒田次官は明治天皇に近況を上奏。太政官より開拓使に対して、屯田兵実施の通達が出されている。

黒田清隆次官の意見は新政府に認められ、明治7年（1874）6月、黒田は「陸軍中将兼開拓次官・北海道屯田憲兵事務総理」に就任した。同年3月、大山重は5等出仕となっている。

8月、黒田は参議兼開拓長官にのぼり詰めた。

10月には「屯田例則」を定め、11月には札幌・琴似村に最初の屯田兵屋二百八戸が竣工した。

翌8年3月には、札幌本庁に「屯田事務局」が設置され、その官員はすべて「准陸軍武官」を兼任することとなった。

このとき、大山重は「准陸軍大佐兼開拓少判官」に任命され、初代の主任官（屯田事務局長）として、屯田兵の事務を総括することになった。

明治9年（1876）10月14日、大山重は「依頼免」となっている。彼はまだ若く、35歳だった。

退職に至った詳しい理由はわかっていないが、どうやら、黒田清隆長官と意見が合わなかったらしい。

後任には堀基（もとい）（薩摩藩出身）が就任し、明治11年（1878）には、〝屯田兵の神様〟

とまでいわれる永山武四郎（薩摩藩出身）に、引き継がれていった。

のちのことだが、屯田兵制は明治37年（1904）9月に廃止されるまで、約30年にわたって北海道に定着し、道内に37兵村・約4万人もの入地を実現している。

大山重が開拓使をやめた翌年、つまり明治10年（1877）2月、西郷隆盛の率いる鹿児島軍の反乱――いわゆる「西南戦争」が起きた。

この戦争には、黒田清隆長官や屯田兵部隊も九州の戦地に赴き、新政府軍として参戦している。

その意味で大山重は、非常に微妙なタイミングで辞めているように思うが、このこととの関連性は不明である。

ただ、大山が辞職するちょうど1カ月ほど前、大山と親しい松本十郎大判官（庄内藩出身）が、樺太アイヌの人びとの対雁（ついしかり）（現・江別市）への強制移住をめぐる問題で黒田長官と意見対立し、辞任する事件が起きている。

こうしてみると、大山重も黒田長官に対する不満が募ってやめていったことは、ほぼ間違いないと思われる。

大山重と松本十郎判官の逸話

大山重は、明治2年7月に開拓使が創設され、9月、開拓長官以下、幹部となったメンバーが品川沖から英国船ヤンシー号に乗り、北海道に向けて出港する時から、松本十郎とは意気が合った。

松本にすれば、大山重のいた福井藩の藩主は自分の出身藩・庄内藩の藩主夫人の弟で、その意味で大山は親戚の藩出身者。その大山は体格も大きく逞（たくま）しく、額に小こぶがある偉風で、度量も広く正直な人でもあった。

明治8年（1875）3月前後のある日、大山は出張してきた松本十郎と、留萌の本陣で夜遅くまで飲み明かしたことがある。

大山は、かつて東北での戊辰戦争に従軍し、清川口から庄内藩を攻撃しょうとして院内に入った時、秋田藩兵が捕虜にした年若い庄内藩士の命を救ったことがあった。

このことを話すと、庄内藩側で当時戦った松本は、

「その少年こそわが友の酒井龍馬である。すると、君はわが朋友の恩人になるわけだ」

と笑ったという。話は佳境に入り、大山が、

「ここの支庁は廃止され、近く屯田兵の大佐に転出する内訓を受けているのだ」

と打ち明けると、松本は、

「君と私は黒田長官に愛されていて、よく使われている。しかし、長官は人に信をおけないたちだから、憂いや悩みを共にしているはいっても、決して楽を一緒に味わってはいけない。諺にもあるように、いわゆる会を狩して書かせば鷹犬に享せらるるにあらずや…」

という。大山も膝を打って、

「本当にそうだ。君のいうとおりだ。私のいいたいことを君はいい尽くしてくれた」

と喜んだ。こうして話しに夢中になっているうちに夜明けになり、2人は慌てて床に入ったという（松浦義信編『松本十郎書簡　根室も志保草』）。

大山の当面の仕事は屯田兵屋の設営であった。しかし、予算不足もあったが、耐寒性の無さと兵屋の密集性は、開拓使顧問ケプロンの酷評を受けたともいわれる。

開拓使を去った大山重は福井県に帰郷し、はじめ実業に就いたようだ。その後の明治26年（1893）9月には福井県の吉田郡長、明治35年（1902）5月には大飯郡長なども歴任した。

晩年は福井の清川上町（福井市宝永一丁目）に隠棲し、明治37年頃、病を得て職を辞した。明治40年（1907）、大山重は福井市内の自宅で静養中、逝去している。享年67。

その性格は「資質剛直、肝気あり、権貴を憚らず、所信を曲げず、事を視るや磊々落々、小事に拘々たらず、豪飲一時に数升を尽し、頗る古豪傑の風あり、其氏名能く実を表すと謂うべし」（『吉田郡誌』）と伝えられている。

(2) 山本洪堂（洪輔）亀山社中・海援隊・振遠隊・開拓使で活躍した医師

亀山社中・海援隊・振遠隊で活躍

大山重と似たような足跡をしるした人に、山本洪堂（別名洪輔、復輔）がいる。

山本は、土佐藩出身と書かれた本もあるが、正しくは弘化3年（1846）に越前福井に生まれた人だ（天保13年＝1842＝誕生説もあるようだ）。詳しくは福井藩の医師・山本宗平の次男に生まれ、兄は玄介（宗隆）、弟は淳良（信卿）といい、従兄弟に蘭学者で男爵になった岩佐純がいたという。

万延元年（1860）、長崎へ医学研修のため出立、同年秋、松本良順、ポンペに師事したという。文久2年（1862）4月、いったんは帰藩したようだ。

その後の慶応2年（1866）12月頃、すなわち坂本龍馬が「亀山社中」を結成して間もない頃に、同社中に参加した。

その後、いろいろな道を歩むが、同じ医師の長岡謙吉（土佐藩出身）とともに、主に医者・医官として活躍したようだ。同2年12月20日の龍馬から伊藤助太夫に宛てた書簡の中に、初めて山本洪堂の名が出てくる。

伊藤は下関本陣大年寄で、慶応年間、長崎の豪商・小曾根（こそね）家とともに龍馬が最も頻繁に往来し、彼の妻お龍とともに厄介になった恩人である。

同月、山本洪堂は、坂本龍馬の下関行きに随行した。

翌慶応3年（1867）、洪堂は亀山社中がプロシア商人から購入した「太極丸」の代金弁済などで大坂を奔走する。

4月、亀山社中が「海援隊」に改組された後も、陸奥陽之助（宗光）らとともに大坂に駐在して、商事活動を行なっていたようだ。

しかし、前述したように11月15日、京都・近江屋で坂本龍馬が襲撃され、死亡する事件が起きた。

これを知った洪堂は12月12日、同僚の佐柳高次とともに下関に飛び、長府藩士・三吉慎蔵や伊藤助太夫らに凶報を伝えたという。

その後、いったん長府の三吉慎蔵邸に移っていた傷心のお龍（龍馬の妻）を、長崎に連れ帰ったようだ。

洪堂はそのまま、医師・海援隊士として長崎に駐留していたが、慶応4年1月、鳥羽伏見の戦いで旧幕府軍が新政府軍に敗れると、長崎は奉行の河津祐邦が船で退去したため、無政府状態に陥った。

洪堂は土佐藩の佐々木高行、海援隊の同志・渡辺剛八（大山重）、沢村惣之丞らとともに長崎奉行所を占拠し、長崎の治安維持に努めている。

その後、薩長土肥など在崎雄藩が奉行所に代わる「長崎会議所」を設立して治安回復に務めたが、二月には新政府中央から沢宣嘉（さわのぶよし）（公家）が派遣されて来て、治政に当った。

天草島の騒動を鎮圧

その頃、結城（ゆうき）下総介（児太郎）、児島備後介らの浪士の一団が、天領だった天草島に侵入し、同島北部の富岡代官所を乗っ取る事件が発生した。代官所の役人らは、彼らの勢いに恐れをなし、逃散（ちょうさん）してしまった。

彼らは、一応、〝倒幕〟を名目にしていたようで、各方面に対して、天草島占拠の理由を書いた書状を送り、理解を求めてきた。その送り先には、長崎会議所の大山重らに宛てたものも含まれていた。

しかし、長崎会議所では彼らをまったく信用しておらず、この情報が入るとさっそく派遣隊を編成し、鎮撫（ちんぶ）に当たることになった。

山本洪堂はこの派遣隊の一員に選ばれ、慶応4年1月21日の早朝、海援隊の同志・吉井源馬や薩摩藩の渋谷彦助、同藩兵二小隊らとともに長崎を出発し、その日のうちに天草島の富岡に到着した。

その夜、結城、児島らを吉井の宿に呼び寄せて、吉井らが、

「このたびの挙動は国を思うために出たもので、志はまことに同感だ。しかし、惜しむらくは、出所進退を誤まっている。ことに、みだりに堂上（どうじょう）（公家・殿上人）の名を借り、不穏の行動をとるのであれば、役儀上、このまま見逃すことはできない。この際、当地を引き揚げてはどうか」、

と説得した。

意外にも、結城らはこの説得に折れ、23日朝には天草島を去った。

結局、派遣隊が一発の銃弾も撃たないうちに騒ぎがおさまり、山本洪堂らの一行はみごとに大役を果たして、長崎に帰任している。

戊辰戦争に従軍後、開拓使へ

維新前後の山本洪堂の足跡を、北海道立文書館の所蔵資料などでたどって見ると、
・慶応4年（明治元年、1868）2月、長崎府の「振遠隊付医官」となる。
・同年12月20日、振遠隊は長崎に凱旋。
・翌明治2年（1869）1月には、新政府軍の軍艦・朝陽丸の「乗組医官」（1月は長崎府の発令、3月からは兵部省の発令）として、大山重らとともに東北戊辰戦争に参戦したようだ（7月に退職）。
・同年4月頃の戦闘で、軽傷を負ったという。その後の5月の箱館海戦に参加するが、朝陽丸が蝦夷島臨時政権（榎本武揚の率いる勢力）側の蟠竜（ばんりゅう）丸に轟沈（ごうちん）され、多数の犠牲者を出した。

このとき洪堂は、かろうじて一命を取り留めたようである。

・その後、福井藩へ戻るが、翌3年6月には、軍の病院（浪華軍事病院らしい）の医官（兵部省の発令）となり、8月に退職している。翌9月、東京や横浜へ向かいたいという願いが受け入れられて、出立したようだ。

・明治4年12月「2等軍医副」（兵部省発令）・「東京鎮台一番大隊附属」（軍医寮の発令）を命じられている。

そうした経過をたどり、明治5年（1872）1月8日には開拓使に転じた。

このときはすぐ「宗谷詰」となり、10月13日には「八等出仕」・「医局専務」を命じられている。

また、この間の明治2年8月には、長崎府から「奥羽脱賊追討戦功」で金80両を、9月には、新政府（民部省）から「蝦地流賊追討戦功」で高40石3カ年間を、それぞれ下賜されている。

その後、明治7年（1874）1月には、開拓使の留萌支庁詰として在職していたらしいことが分かっているが、この頃以降、開拓使を退職したようで、職員名簿には見当たらない。

山本洪堂の後半生

それ以降の山本洪堂の足取りは、最近までよくわかっていなかった。

しかし、拙著『開拓使にいた!・龍馬の同志と元新選組隊士たち』（北海道出版企画センター）の刊行後もいろいろ調べた結果、ようやく山本洪堂の後半生に関する情報が明らかになってきた。

その結果は、おおむね次のとおりである。

・開拓使に在職していた明治6年（1873）10月、宗谷で長男宗一が生まれている。

・その後、明治8年に開拓使を辞して、当時大阪の西区松島仲野町にいた弟・山本信卿（医師）のもとに身を寄せた。

・明治12年（1879）、信卿が大阪府の東区今橋4丁目に「回春病院」（大阪における初の私立普通病院といわれる）を設立した。

しかし、同14年、信卿が死去（享年35）したため、洪堂は院長職を引き継いだ。

・明治19年（1886）、大阪府南区逢坂町上之町に回春病院附属として「大阪癲狂院（てんきょういん）」を設立し、院長をつとめた。この病院は、大阪における明治時代初めての私立精神病院だったという。

なお、回春病院は緒方洪庵の次男・緒方惟準らに譲渡された。また、大阪癲狂院は同22年、「大阪精神病院」と改称された。

・明治27年（1894）、洪堂は福井市西宝永町（現大願寺町）に建てられた元の主君・松平春嶽の遺徳碑に寄付を行なった。

その後、洪堂は明治32年（1899）10月16日、大阪で逝去した。享年58。

なお、病院の院長職は、息子の宗一が急遽ドイツから帰国して、継いだもようである。

・この大阪精神病院は、のちに「山本病院」となり、現在は「医療法人清心会八尾こころのホスピタル」となって、大阪府八尾市天王寺屋で存続している。

なお、坂本龍馬以下6人の海援隊士が写った集合写真が残っており、これまで、龍馬の隣で頬杖（ほおづえ）をついた人物は陸奥陽之助ではないかと言われてきたが、最近の調査では山本洪堂だった可能性が高いといわれる。

また、久寶博（くぼうひろし）編著『創業百十周年・創立七十五周年記念　山本病院　源流とその歩み』（1989年4月山本病院刊）には、山本洪堂の写真が掲載されている。

第二章　福井県人の北海道移民史

一　本州等からの北海道移民史全体のあらまし

「はじめに」でも、北海道移民史の特色について触れたが、本項では福井県人の北海道移民史の位置付けを理解するために、もう少し詳しく本州等からの北海道移民史全体を概観しておきたい。

幕末以前の移民政策

幕末以前は、奥羽地方などの戦乱・凶作・飢饉(ききん)などを避けて渡道したり、島流しの罪人、鷹狩り、砂金採り、樵(きこり)、漂流民などが土着したり、商人や漁民が出稼ぎに来て留まったりと、和人の渡道には、様々な移民の形態があった。

なお、その中の砂金採り鉱夫に関しては、当時、禁制とされていた切支丹(きりしたん)信者が多数紛れ込んで入って来たため、幕府の圧力もあり、松前藩が道南の大澤および千軒岳付近で切支丹男女106人を処刑する、という事件も起きている（寛永16年 1639）。

ただ、総じていえば、この時代は北海道沿岸への漁業移民が中心であり、内陸部の開拓は遅れていたといえよう。

また、松前藩は総じて移民招致には消極的だったが、例外的に幕府がこの地を直轄支配した時期、（第1次蝦夷地幕領時代（1799〜1821）と第2次蝦夷地幕領時代（1855〜68）の2回）には、幕府の現地支配機構である箱館奉行所が中心となって移民招致を行なった例がある。

具体的には、主に道南で移民を官募したり、「御手作場（おてさくば）」（幕府の直営農場）を開設したり、旗本・御家人の次男・三男など士族の移住（いわゆる「在住制」）を促進したり、八王子千人同心（武蔵国多摩郡八王子に配置されていた郷士身分の幕臣集団）の移住を進めたり、東西本願寺による募集農民の移住を認めたりして、前向きの移民招致政策をとったのだ。

ただ、幕府の苦しい財政事情もあって、打てる政策には限りがあったようだ。

その結果であろうが、幕府が新政府に政権を譲り、開拓使が創設された明治2年（1869）頃に至っても、北海道の総人口はわずか約6万人足らずに過ぎなかった。

一方で、樺太や千島列島方面でのロシア勢力の脅威と、これに対する国土防衛力増強の必要性は、年を追うごとに増してきていた。

開拓使時代以降の移民政策

幕府崩壊後、新政府は蝦夷地（まもなく「北海道」と改称）に現地支配機構・開拓使をあらたに創設した（明治2年7月。ただし、その前に短期間だが、箱館裁判所・箱館府を置いて支配した時期がある）。

開拓使は、中央省庁の大臣と同格の開拓長官をトップに据え、強力な機構として様々な政策を展開していく。うち移民政策に関しては、渡航費や食料などを支給する「保護移民政策」を採用した。中でも特に象徴的な事例は、兵備・開拓民を兼ねた「屯田兵」制度の創設（明治7年）であった。

屯田兵は全道で37の兵村を築き、家族を含め約4万人を定着させているほか、地域の開拓の先駆者として他の一般移住民の誘致要因ともなった。

なお、屯田兵は当初、士族が中心だったが、のちには農民など平民にも対象を広げている。

屯田兵招致以外にも、いろいろな移民招致政策が採られた。例えば移民規則、土地売貸規則などの諸規定を整備したり、札幌本府の建設に伴い、その付近に募集移民を定着させたり、仙台藩亘理領・岩出山領などの士族たちの移住を認めたり、旧会津士族の余市郡定着を助けたり、尾張徳川家の八雲農場を認めたりといった具合で、農民・漁民の自力移住もこの時代に増えていった。

明治10年代末頃までの移民は、士族・屯田兵といった保護的移民が多くを占め、一般移民は少なく、また移民は最初、石狩・渡島・後志地方に多く移住した。その後、これらの開拓地が入りづらくなると、道東・道北の各地へ入地した。

ただ、結果だけをみれば、開拓使の廃止された明治15年（1882）時点の北海道の総人口は、約24万人程度に過ぎなかった（明治2年の開拓使発足時の基礎数（北海道の総人口）が約6万人とごく少なかったことにも起因している）。

一方、明治中期になると、本州・西日本を中心に、地主制の発展が顕著で、小作化した農民の中から多数の離村者が出るようになった。彼らには、外国移住を含め、多様な生き方があったが、明治20～30年代にかけては、北海道移住が多く選択されたようだ。

その延長線上で見ていくと、顕著な形で移民数が伸びて来たのは、明治19年（1886）に北海道庁が創設されて以降であった、ということができよう。

この年、初代北海道庁長官に就任した岩村通俊（土佐藩出身）は、これまでの政策を改め、本州等の地主・華族・豪商資本などの投資による開拓推進を図った。いわば、移民政策を「直接保護から間接助長」へと転換したのだった。

また、個々人が適当な土地を選択するのは極めて困難なので、あらかじめ殖民地に適する土地を官の方で選定しておく「殖民地の選定事業」を開始し、この選定地に関する区画の測設を行なう一方、国有未開地の払い下げを容易にするような規則改正等も行なった。

これらの措置によって投資が轄発になり、北海道移住者数も急増していった。また、明治25年（1892）に道庁が打ち出した「団結移住」（団体移住）奨励策や「貸付地予定存置制度」も、かなりの効果を発揮した。

こうした政策の効果もあり、明治30年代から大正時代前期にかけて、移住者は毎年5万人から8万人に達し、北海道内陸部の開拓も急速に進んできた。

ちなみに、明治27〜31年、同38〜42年、大正4〜8年の三つにピークがある。

このうち、第一のピークでは明治30年（6万4、000人）、第二のピークでは同41年（8万500人）、第三のピークでは大正8年（9万1、000人）が、それぞれ最多である。

「開道50年」に当たる大正7年（1918）の北海道人口は、約217万人、耕地面積は80万㌶までになった。また、昭和2年以降は、民有未墾地開発事業などの政策も導入されている。

移民の多くは、東北・北陸地方の出身者だったが、初期には四国地方からの移民も多かった。その後、移民はしだいに減少していくが、大正末期には、関東大震災（大正12年）の復興を企図した「許可移民」という形の保護移民制度が復活した例もあった。

明治2年（1869）から昭和11年（1936）までの間の北海道への移住者総数は、約300万人程度だったと推定されている。

〔参考1〕北海道の総人口の推移

明治	2年	約6万人	（開拓使発足）
	15年	24万人	（開拓使廃止）
	19年	30万人	（道庁発足）
	34年	101万人	（100万人突破）
大正	10年	240万人	（200万人突破）

昭和　10年　307万人（300万人突破）
　　　23年　402万人（400万人突破）
　　　33年　507万人（500万人突破）
平成　30年　528万人
＊ちなみに福井県の総人口は約77万人

〔参考2〕都府県からの北海道移住者数の推移（明治2年〜昭和11年）

明治　2年　1、972人　　3年　3、685人
　　　4年　8、598人　　5年　13、784人
　　　6年　11、353人　　7年　1、955人
　　　8年　4、656人　　9年　3、833人
　　　10年　2、577人　　11年　4、480人
　　　12年　4、034人　　13年　3、604人
　　　14年　8、700人　　15年　5、539人
　　　16年　2、260人　　17年　4、656人
　　　18年　10、396人　　19年　9、609人

明治20年　9、038人
22年　13、118人
24年　15、738人
26年　49、047人
28年　59、671人
30年　64、350人
32年　45、394人
34年　50、105人
36年　44、942人
38年　58、224人
40年　79、737人
42年　63、848人
44年　51、577人
大正2年　66、163人
4年　85、841人

21年　8、586人
23年　15、393人
25年　42、708人
27年　55、259人
29年　50、396人
31年　63、629人
33年　48、118人
35年　43、401人
37年　50、111人
39年　66、793人
41年　80、578人
43年　58、905人
大正元年　61、156人
3年　62、513人
5年　70、785人

大正6年	75、558人	7年	83、925人
8年	91、465人	9年	80、536人
10年	67、974人	11年	60、412人
12年	58、202人	13年	56、315人
14年	60、104人	昭和元年	56、312人
昭和2年	57、890人	3年	53、931人
4年	58、471人	5年	60、126人
6年	55、630人	7年	49、903人
8年	48、424人	9年	55、093人
10年	51、984人	11年	48、519人

（注）北海道統計による。

なお、この「移住者数の推移」からすると、概ね次のようなことが言えると思われる。

① 単年度のピークは、大正8年の91、465人であり、この前後の大正4年～同9年の間は毎年7万人以上の移住者がみられる。

②　明治期末にもう一つのヤマがあり、明治41年の８０、６７８人をピークとして、前年の明治40年にも８万人近くが移住して来ている。

③　開拓使が設置されていた明治２年～同15年の間を見ると、１万人を超える移民数がみられるのは、明治５、６両年に限られ、その他はまだ少数だった。

④　北海道庁が設置された明治19年以降を見てみると、移民数がほぼ順調に増加している。

⑤　昭和期に入っても、相当の移住者数がみられる。

⑥　明治27年の日清戦争、同38年の日露戦争、大正３年の第一次世界大戦など、大きな戦争があった直後あたりに、移住者数が多くなる傾向があるように見受けられる。

二　福井県側の北海道移民史データから言えること

(1)　福井県人の北海道移民のあらまし

福井県人の北海道移住史の詳細を探っていく手順として、先ず、福井県側の資料―ここでは福井県立歴史博物館の資料（『れきはくＭＯＯＫ５　北海道移住』）を調べてみた。

すると、ここから次のようなことが浮かび上がってくる。

①　明治時代から大正時代にかけて、福井県から多いときで一年に5、000人もの人たちが、北海道へ移住した。今も道内の各地には、彼らの子孫が暮らしている。

②　明治維新以後、政府は「富国強兵」政策のもと、北海道開拓を進めた。当時は屯田兵による開拓が行なわれ、明治20年代になると、一般の移住へと移行した。

③　移住促進のパンフレットには、豊かな北海道のイメージが美しく語られている。資金の調達や荷物の準備など、具体的な内容も盛り込まれている。

④　北海道への移住には、まとまって移住する「団体移住」と、家族や個人で移住する場合があった。
　　また、先に移住した人たちが、郷里の同胞を勧誘する「呼び寄せ」も、盛んに行なわれた。

⑤　彼らを駆り立てたものは、北海道で一旗揚げて、故郷に錦を飾る夢、いわば「北海道ドリーム」だった。

さらに、福井県編『図説福井県史』によると、次のようなことがわかってくる。

①　福井県は、全国的にみても明治維新期から県外への人口流失が多い県だった。もともと北陸地方全体が同様な傾向にあったが、第１回国勢調査（大正９年＝１９２０）の結果データから福井県生まれの人の現住県を見ると、２割を超える人たちが県外に住んでいた（全国第５位の流出率）。

②　また、これ（移住先）を道府県別に見ると、この時点では「北海道」が最も多く、大阪・東京・京都の３大都市を凌ぐ４万７、０００人もの福井県人が移住していた。

③　北海道への移住が本格的に始められたのは、明治10年（１８７７）代後半からといえよう。

福井県内における屯田兵の募集も、この頃から開始されるが、明治19年（１８８６）に創設された北海道庁が積極的な移民招致策を進めた時期とも重なり、明治20年代を通して移住者数が急増していった。

④　この中には、同郷人がまとまって移住する、いわゆる「団体移住」が含まれていた。北海道の三石郡歌笛村（現日高郡新ひだか町三石　歌笛地区）へは、福井県大野郡を中心に入植し、明治30年（１８９７）末までには、１００戸に及ぶ「越前村落」をつくって

いた。

⑤ 当時の道庁の制度では、30戸以上の同郷人の団体が3カ年以内に移住する場合、一戸当たり1万5、000坪を予定存置できることになっていた。

そういうこともあり、これには坂井郡磯部村（現坂井市南部）、南条郡神山村（現越前市中心部の南西部）などから出願し、北海道の空知郡栗沢村（現岩見沢市栗沢町）、天塩郡遠別原野（現天塩郡遠別町）などへ団体移住している。

⑥ これらの団体移住は、経営の困難さから最終的に土地取得ができずに解散したものも少なくなかったが、先発の同郷人からの情報と人脈を頼りに、後続の移住が行なわれていた。

また、福井県関係者が経営・管理する農場へ、「小作農家」として移住する場合も見られた。

⑦ こうしたことから、北海道移住者を職業別に見ると、農業者が5割から多いときには8割も占めていた。

⑧ 北陸地方の移住は、明治30年（1897）～31年、明治40年（1907）～41年の二つのピークが見られ、福井県でも大規模な水害の後の明治30年・31年には、大野郡や坂井

郡を中心に年間6、000人を超える人びとが北海道へ渡っている。
こうした大規模な災害が、新天地を求めざるを得ない要因となっていることがわかる。
⑨ 大正期（1912）以降、福井県からの北海道移住者数は漸減し、代わって東京・大阪・京都などの大都市への移動が増えていく。

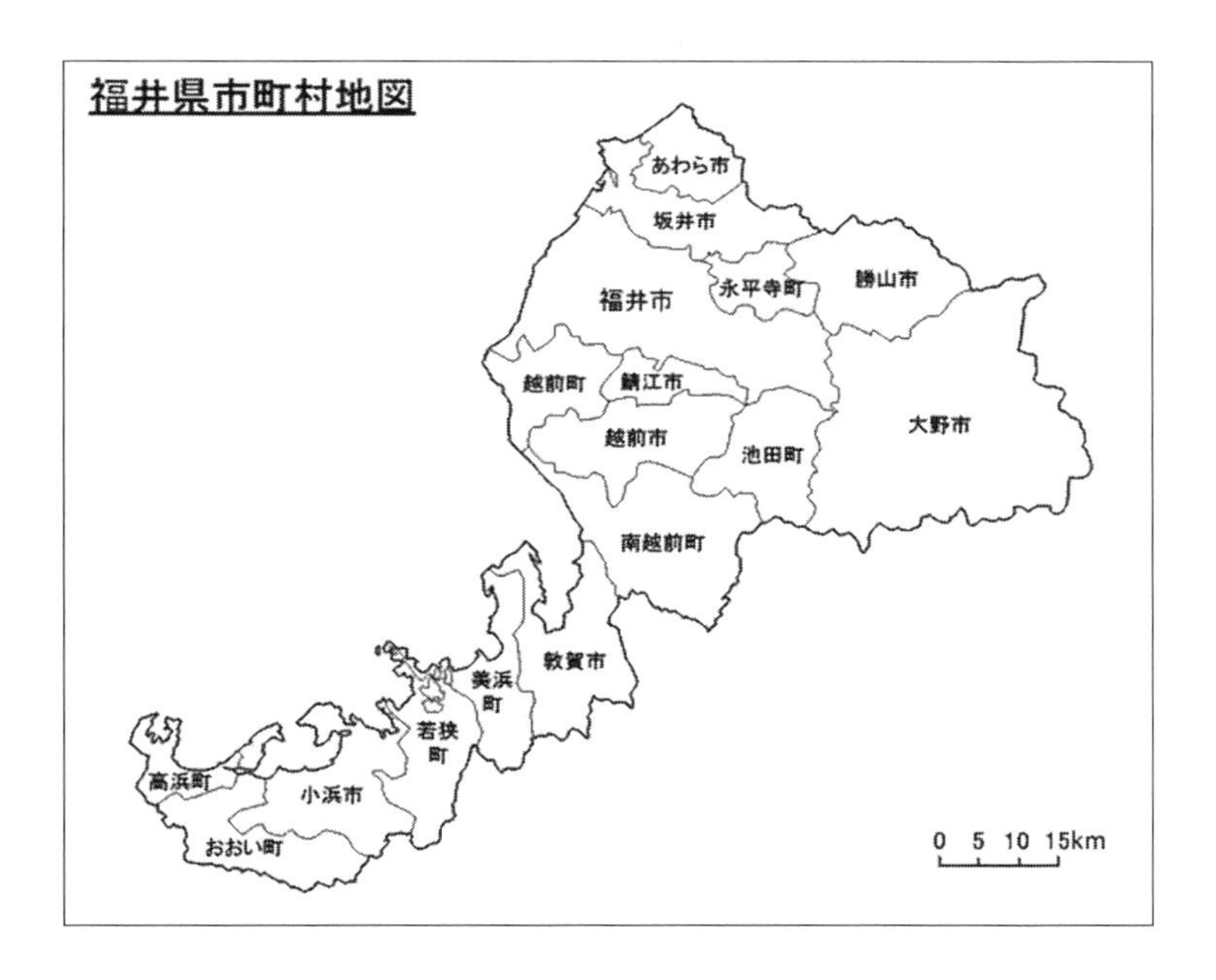
福井県市町村地図
あわら市
坂井市
永平寺町
勝山市
福井市
越前町
鯖江市
越前市
池田町
大野市
南越前町
敦賀市
美浜町
若狭町
高浜町
小浜市
おおい町
0 5 10 15km

(2) 福井県人の年度別北海道移住者数の推移

次に、福井県人の年度別北海道移住者数ついて、明らかにしておきたい。この点について、前記福井県側資料（福井県立歴史博物館資料）によれば、

① 福井県の嶺北地方は、全国的にも指折りの送出地で、坂井郡、大野郡、丹生郡を中心に多いときで年間5，０００人が北海道へ渡っていた。

② 移住のピークは、明治20年代後半から40年代にかけてであった。当時の福井県の人口は約50万人、１００人にひとりの割合である。

③ その後、福井県内で織物業が発達し、労働力を必要とするようになると、移住の人数は減少した。

という主旨のコメントのもとに、次のように詳細な統計数を記している。

「福井県人の年度別北海道移住者数の推移（明治18年～昭和15年）」

（年）	（戸　数）	（人　数）
明治18（1885）	125戸	478人
19（1886）	268戸	1、139人
20（1887）	182戸	634人
21（1888）	180戸	670人
22（1889）	222戸	758人
23（1890）	352戸	1、279人
24（1891）	286戸	958人
25（1892）	692戸	2、474人
26（1893）	888戸	3、519人
27（1894）	978戸	3、789人
28（1895）	1、049戸	4、005人
29（1896）	938戸	4、045人
30（1897）	1、382戸	6、315人

31（1898）　1,282戸　6,139人

32（1899）　862戸　4,070人

33（1900）　857戸　3,655人

34（1901）　780戸　3,024人

35（1902）　641戸　2,659人

36（1903）　597戸　2,404人

37（1904）　674戸　2,830人

38（1905）　754戸　2,991人

39（1906）　742戸　2,844人

40（1907）　960戸　3,687人

41（1908）　971戸　3,686人

42（1909）　694戸　2,477人

43（1910）　620戸　2,130人

44（1911）　619戸　2,033人

大正元（1912）　571戸　2,022人

2（1913）　617戸　2、135人
3（1914）　499戸　1、821人
4（1915）　666戸　2、468人
5（1916）　476戸　1、790人
6（1917）　512戸　1、896人
7（1918）　652戸　2、278人
8（1919）　637戸　2、414人
9（1920）　461戸　2、072人
10（1921）　393戸　1、576人
11（1922）　341戸　1、267人
12（1923）　328戸　1、367人
13（1924）　298戸　1、457人
14（1925）　290戸　1、264人
昭和元（1926）　257戸　1、114人
2（1927）　648戸　1、124人

3（1928）	201戸	916人
4（1929）	190戸	896人
5（1930）	197戸	890人
6（1931）	187戸	916人
7（1932）	164戸	788人
8（1933）	152戸	714人
9（1934）	220戸	884人
10（1935）	155戸	678人
11（1936）	160戸	772人
12（1937）	157戸	736人
13（1938）	…	…
14（1939）	…	…
15（1940）	154戸	689人

注・福井県立歴史博物館からの情報（出典は、1885～1911年までは『日本帝国統計年鑑』、同12年以降は『北海道庁統計書』による）。

以上の統計数を大括りにまとめてみると、おおむね次のようなことが言えると思う。

①（前提）移住者数の記載期間
明治18年（1885）～昭和15年（1940）

②移住の最大ピーク時
明治30年（1897）～明治31年（1898）　年間6、000人以上
＊うち年間最大は明治30年の6、315人

③移住の9カ年に渡る最大ピーク時（上記②を含む）
明治26年（1893）～明治34年（1901）　年間3、000人以上
＊この期間以降、年間3、000人を超したのは、明治40年（1907）～明治41年（1908）のみ。

④年間2、000人以上を、ほぼコンスタントに出していた期間
明治25年（1892）～大正9年（1920）
＊上記①②を含む。ただし厳密には、大正3年（1914）、大正5年（1916）～大正6年（1917）は、2、000人をやや下回っている。

⑤次の年は、年間2、000人以下で1、000人台に留まっている。

明治23年（1890）、大正3年（1914）、大正5年（1916）～大正6年（1917）、大正10年（1921）～昭和2年（1927）

⑥ 次の年は、年間1、000人以下に留まっている。

明治20（1887）～明治22年（1889）、明治24年（1891）、昭和3年（1928）～昭和12年（1937）、昭和15年（1940）

⑦ 全体としてみると、明治25年（1892）～大正9年（1920）の期間は、コンスタントに移民を出していたことがわかる（ほぼ2、000人以上）。

(3) 福井県側記録に残る主な団体移住

前記資料（福井県立歴史博物館の資料）によれば、福井県人の北海道への団体移住（集団移住）について、次のような事例が記載されているので、とりあえず代表的な事例としてここで紹介しておきたい。

ただし、これ以外にも相当数の事例があると推測されるので、のちほど北海道側資料の調査結果なども合わせて、総合的な視点で詳細な実態を洗い出し、団体移住の全体を総括していきたい（後述五(3)「福井県人が団体移住した北海道の入植先の総括」（漁業移民・屯田兵入植を除く」）参照）。

福井県側の記録に残る主な団体移住

	〔入植地（現在地）〕	〔年（明治）〕	〔計画戸数〕	〔出身地（団体名）〕
1	石狩国空知郡栗沢村（岩見沢市栗沢町）	26年	36	坂井郡
2	石狩国空知郡幌向原野（南幌町）	27年	16	大野郡阪谷村（福井）＊現大野市
3	石狩国空知郡篠津原野	27〜29年	46	足羽郡和田村（福井）＊現福井市
4	石狩国空知郡富良野原野（富良野町）	30〜32年	33	吉田郡（福井）
5	石狩国空知郡富良野原野（富良野町）	32〜33年	35	南条郡杣山村（杣山）＊現南越前町
6	石狩国川上郡愛別原野	30〜32年	31	大野郡（福井）

（愛別町）

7　日高国三石郡歌笛村（三石町）　24年　不詳　大野郡（歌笛）

8　胆振国千歳郡千歳原野　27年　60余　吉田郡

9　胆振国千歳郡千歳原野　27～29年　33　今立郡（福井）

10　天塩国苫前郡築別原野（羽幌町）　29年　33　大野郡猪野瀬村（福井）＊現勝山市

11　天塩国天塩郡遠別原野（遠別町）　30年　48　南条郡池上・広瀬村（越前・池広）＊現越前市

12　天塩国天塩郡下サロベツ原野（幌延町）　30年　88　今立郡（福井）

13　十勝国中川郡利別原野（池田町）　29～31年　30　足羽・丹生・坂井各郡（福井・青山）

14　十勝国中川郡札内／河西郡伏古原野（帯広市）　30～32年　41　大野郡（越前）

三　北海道側の移民史データから言えること

(1) 幕末における越前福井からの農民移住

次に、視点を変えて、今度は北海道側の移民史データをもとに、福井県人の北海道移民史を分析していくこととする。

その結果を前記の福井県側の北海道移民史データの分析結果と突合することにより、総括的な結論を得る手順をとりたいと思う。

先ず、北海道（蝦夷地）への福井県人の移民が、「明治新政府によって本格的・組織的に」行われたのは、明治19年（1886）、すなわち北海道庁が創設された年に、

① 屯田兵募集に応募して東和田屯田兵村（根室市）に入植。

② 現札幌市西区の福井地区に団体移住（団結移住・集団移住）し入植。

したのが、鏑矢（かぶらや）といえると思う（詳細は後述する）。

ただ、詳細に調べていくと、それ以前にも幕府の認めた集団移住の事例らしいものが浮かび上がって来た。

具体的には、幕府の第2次蝦夷地幕領時代＝（安政元年～明治元年、1854～68）に、越前福井方面の農民らが、宗教団体（ここでは本願寺）の呼びかけで箱館（現函館）周辺を中心に、渡道・移住してきたらしいのだ。

北斗市の『北斗市歴史年表』等をもとに、このあたりのことを調べた結果を、次に紹介する。


この当時、道南の箱館付近の移民が盛んで、特に安政6年（1859）以降、幕府が開墾費、水路掘削費などを貸し付けたりしたこともあり、この地方の移民が増加した。

そして、その中に、東西本願寺による移民の募集・移住があった。
①　先ず、西本願寺は、安政5年（1858）に僧堀川乗経（じょうきょう）、檀家の国領平七らが協議のうえ、箱館奉行から上磯（かみいそ）村（北斗市）55万坪（約181町歩）の付与を受けた。
翌6年4月、乗経らは本山にはかり、越前（福井県）、加賀・能登（石川県）・但馬（たじま）（兵庫県）から農民374人を募集し濁川（にごりかわ）（旧上磯町清川、現北斗市）へ移住・開墾させた。

また万延元年（１８６０）には、この地に一カ寺（「宣法庵」、のちに「江差本願寺別院」と称する）を創立した。

この地は、のちに戸口が減少したとはいえ一部落を形成して、開拓使時代には「清水村」と称したという。

注１・『北斗市歴史年表』（「旧上磯町」の欄）の記述内容

「安政５年（１８５８）　堀川乗経、北陸から農民を移し「清水郷」を開く。

清水郷、僧堀川乗経（箱館本願寺、西本願寺）檜家国領平七と協議の上、濁川村に55万坪の地を請い、翌６年４月　本山より但馬、越前、加賀、能登等より募集せる農民３７４名を移し此地を開拓せしめ万延元年１寺を創設せり。

然るに其後、農民は離散し、僅かに70余名を留むるにすぎざる有様であった。本願寺は、天保の凶荒対策と布教の進出を併せて目論んだ。」

「明治11年（１８７８）６月25日　清川に「宣法庵」を建てた堀川乗経没（55歳）。10月３日宣法庵、「江差本願寺別院」と称す。」

注２・堀川乗経（１８２４〜７８）

陸奥国＝現青森県＝願乗寺の次男に生まれた。西本願寺派の僧。天保12年（１８４１）17歳のとき渡道。本山を動かして安政4年に小樽と箱館に北海道最初の同派寺宇を建立したほか、箱館の発展に尽力した開拓功労者としても知られ、箱館市中への給水を考えて亀田川を掘割で導き（願乗寺川・堀川）、市街地が東部へ延びる要因をなした。

② ただ、厳密にいうと、①の前年、つまり安政4年（1857）には既に、越前福井を含めた本州各地方などから、宗教勢力（西本願寺）の仲介によってこの地域（現北斗市の旧上磯町付近）に人びとの移住があったことをうかがわせる記録がある（『北斗市歴史年表』）。

この点に関する同年表（旧上磯町の欄）の記述内容を紹介すると、次のとおりである。

「安政4年（1857）10月、箱館願乗寺休泊所を建設せしこと。但馬、加賀、越前、能登並びに南部、津軽地方の門徒を招集し、濁川の開墾に当たる。清水村、西本願寺の資力にて、但馬国より岡本吉兵衛先導し、濁川地所の内分裂して、9戸移住する。濁川より分裂して清水村を置く」

この記述からすれば、人数などやや不明確な点はあるが、安政4年に西本願寺系の勧めによる福井県を含めた各地からの移住が、しかも団体移住の形で進められていた、とも考えられる。

③ 一方、『函館市史』によると、東本願寺も安政6年、箱館御坊浄玄寺役僧の世話で、

箱館奉行に亀田郡桔梗野（七飯町大川～函館市桔梗町にかけての地域）を請い、能登・越後・常陸・秋田・南部・津軽・江差などからの農民二一戸を移住させて開拓に従事させた。

この地を「安寧村」といい、のちの開拓使時代には「桔梗村」と改称している。

注・東西本願寺による移民のあった安政４年（１８５７）ないし安政６年（１８５９）から起算すると、現在（令和２年＝２０２０）はおおむね１６０年余を経ていることになる。

⑵ 出身都府県別の北海道移民者数調べ

全国の各都道府県から、どのくらいの人びとが北海道へ移住しているかを、一定期間（明治15～昭和10年）を限って調べてみると、左表のようになっている。これによると、

①　第一に東北地方、第２に北陸地方の各県からの移住者数が多いことがわかるほか、人口が約77万人ほどと全国47都道府県中43位に過ぎず、面積でも34位にとどまっている福井県が、北海道への移民戸数では10位（２７、３９２戸）と、かなり高い順位を占めていることがわかる。

②　なお、他地域では、四国４県（徳島・香川・愛媛・高知）も意外に多くの移民を出していることも、注目される。
　これには四国特有の事情があり、ごく簡単にいえば、特に徳島県を中心に、藍染物の原料となる植物）の生産で栄えてきた歴史があったが、この産業が諸事情で衰退していったことと大きく関係しているようだ。
③　そこで、福井県に若干、関係のある話になるが、明治24～26年頃、徳島県知事に在職していた関義臣（元福井藩士・別名山本龍二郎）が、徳島県人の北海道移住を呼びかけた経過がある（この点については、後ほど第二章十（十）で詳述する）。
④　その他の府県では、東京都（11位）・岐阜県（13位）・広島県（15位）・愛知県（16位）、兵庫県（18位）、鳥取県（19位）、茨城県（20位）あたりが、比較的多くの移民を輩出している。

〔出身都府県別北海道移民戸数調べ（順位別）〕（明治15～昭和10年）

順位	府県	戸数	順位	府県	戸数
1位	青森県	68、855戸	2位	秋田県	64、067
3位	新潟県	61、636	4位	宮城県	51、831

5位　富山県　48、445
7位　岩手県　40、318
9位　福島県　33、122
11位　東京都　21、862
13位　岐阜県　15、297
15位　広島県　10、777
17位　愛媛県　9、239
19位　鳥取県　7、665
21位　滋賀県　6、533
23位　高知県　5、810
25位　栃木県　5、473
27位　奈良県　5、049
29位　福岡県　5、017
31位　神奈川県　4、948
33位　千葉県　4、670

6位　石川県　47、901
8位　山形県　39、009
10位　福井県　27、392
12位　徳島県　17、970
14位　香川県　14、367
16位　愛知県　9、377
18位　兵庫県　9、047
20位　茨城県　6、950
22位　長野県　5、956
24位　岡山県　5、563
26位　静岡県　5、234
28位　大阪府　5、033
30位　山口県　4、951
32位　三重県　4、914
34位　山梨県　4、642

35位	和歌山県	4,559	36位	群馬県	3,891
37位	埼玉県	3,890	38位	京都府	3,751
39位	熊本県	3,481	40位	島根県	3,150
41位	佐賀県	2,602	42位	鹿児島県	2,503
43位	大分県	2,472	44位	長崎県	1,500
45位	宮崎県	624	46位	沖縄県	67
47位	その他	5,794			

注・帝国統計年鑑・北海道勧業年報・北海道庁統計書により作成。

(3) 上位各府県別の北海道移民状況（明治27～大正8年の期別変化）

ここでは、北海道移民を多く出している都府県の戸数の推移を、左表のように時期を三つに区分して分析してみた。そうすると、

① この表から、福井県が第1期5位、第2期10位、第3期12位と、いずれの時期においても人口の少ない県にしては高い順位を占めている。

②　その一方で、急速に順位を下げていっており、この点で、これら3期を通じずっと多くの移民を出している東北地方の各県や、北陸地方の他の3県（石川・富山・新潟各県）と比較しても、やや違った独自の傾向を示している。

ということに気がつく。

その理由については後述するが、筆者としては、福井県独特の地場産業の勃興・発展と関係があると考えるのが自然だろうと推測している。

○第１期　明治27～31年（１８９４～９８）

（1位）石川県　8、695戸　　（2位）富山県　7、351戸
（3位）新潟県　6、756戸　　（4位）青森県　5、988戸
（５位）福井県　５、６２９戸　　（6位）秋田県　4、804戸
（7位）岩手県　3、229戸　　（8位）香川県　3、023戸
（9位）山形県　2、630戸　　（10位）徳島県　2、448戸
（11位）宮城県　1、947戸　　（12位）愛知県　1、824戸

○第２期　明治38～42年（１９０４～０９）

（１位）富山県　９、１２６戸　（２位）新潟県　８、４１９戸
（３位）宮城県　７、７０５戸　（４位）石川県　６、８４６戸
（５位）青森県　６、６９２戸　（６位）秋田県　６、４３３戸
（７位）岩手県　５、１５７戸　（８位）山形県　５、００３戸
（９位）福島県　５、００２戸　**（１０位）福井県　４、１２１戸**
（１１位）岐阜県　３、３７７戸　（１２位）徳島県　３、１０３戸

○第３期　大正４～８年（１９１５～１９）

（１位）青森県　１１、０７９戸　（２位）宮城県　１１、０５６戸
（３位）秋田県　１０、２６８戸　（４位）新潟県　９、２２３戸
（５位）岩手県　７、４７３戸　（６位）山形県　６、９５９戸
（７位）福島県　６、６８６戸　（８位）富山県　６、３７０戸
（９位）石川県　５、４７３戸　（１０位）東京都　３、３３２戸
（１１位）岐阜県　２、８３０戸　**（１２位）福井県　２、７５２戸**

注・高倉新一郎編『新しい道史』第４巻第６号を参考にした。

なお、参考までに、第１期から第３期までの間における、他の北陸３県の順位の変化を

見てみると、次のようになっている。

- 石川県　　1位→4位→9位
- 富山県　　2位→1位→6位
- 新潟県　　3位→2位→4位

また、東北6県についてもみてみると、次のとおりとなっており、この地方からの北海道移民が、相対的に増加していることを示している。

- 青森県　　4位→5位→1位
- 岩手県　　7位→7位→5位
- 秋田県　　6位→6位→3位
- 宮城県　　11位→3位→2位
- 山形県　　9位→8位→6位
- 福島県　　…→9位→7位

四　北海道移民中、「屯田兵移民」の実態

(1) 屯田兵制のあらましと兵村の配置

北海道の屯田兵制度は、明治初期に主として三つの目的―兵事軍備・士族救済・開拓―を兼ねた施策として構想され、明治7年（1874）に実現に至ったものだ。

注・士族救済＝士族屯田はのちに改正され、明治23年（1890）以降は、募集の対象者を平民にも広げている（平民屯田）。

なお、これには、次の二つの事件も大きく影響したと考えられている。

① 明治6年（1872）に、樺太でロシア兵が破壊活動や消火妨害を行なった事件が発生した。

② 同年5月に「福山・江差騒動」（爾志郡熊石村近傍の漁民が、税法改正に反対し強訴。騒動は福山・江差地方に波及して暴動化した事件）が起きたが、開拓使は独力では鎮圧できず、

青森鎮台の兵を呼び寄せざるを得なかった。

次に、この制度の実現に至るまでの経過を、簡単に振り返ってみると、

① 明治初期から開拓使の実権を握っていた黒田清隆（元薩摩藩士）は、明治6年11月、新政府に対し屯田兵制度の実施などを建白した。

これに対し、新政府もこの意見を容れ、翌7年6月、黒田を陸軍中将兼開拓次官・屯田憲兵事務総理に任命し、屯田兵創設を命じた。

② 黒田は御雇い外国人・ケプロンとも相談、ロシアのコザック兵の屯田制度なども参考にして検討を進め、10月、「屯田兵例規」を定めたりして、屯田兵の募集を始めた。

③ 屯田兵の編成については、おおむね一連隊1、440人、一大隊480人、一中隊240人、一小隊120人、一分隊30人、一伍5人に、それぞれの将校を加えた数で、兵士は18歳以上35歳まで（ただし、後年、若干変更されている）の身体強健な者を選び、訓練は12月から4月までの農閑期に行なうこととした。

④ 給与は移住支度料、旅費、家屋、家具、農具、土地及び3年間の食料で、その他種々の保護があった。また、土地は当初5千坪、のち1万坪（明治23年に1万5千坪）とされていた。

⑤　明治8年、開拓使に「屯田事務局」が設置された（このとき、初代の主任官＝屯田事務局長格＝となったのが、前述した元福井藩士の大山重（渡辺剛八）である）。

その一方で、札幌の琴似（ことに）兵村に最初の屯田兵が入植した。

⑥　それ以降、明治32年（1899）まで道内各地に多数の屯田兵が入植した。

こうして屯田兵は、明治7年～同37年の30年間にわたって北海道に定着し、道内に37兵村・約7、300戸・約4万人の入地を実現しているのだ。

なお、この間のプロセスを分析すると、屯田兵は、ほぼ次のように変遷しているといえよう。また、拓いた耕地は、約7万5、000㌶にも及んでいる。

①　第1期　創設・試験期

明治8年から同15年2月、開拓使を廃止し3県が置かれるまでの間

②　第2期　発展・成熟期

明治15年2月から同29年5月までの間

③　第3期　縮小期

明治29年5月から同37年までの間

屯田兵制の成果について分析してみると、士族救済、平民救済に貢献したほか、規律ある開拓を可能にし、一般開拓民による開拓の先導的な役割を果たしたことを指摘できる。

また屯田兵は、明治10年（1877）に起きた西南戦争に際し、新政府軍に従軍して出征、多くの犠牲者を出しながらも奮戦し、役目を終えて凱旋している。

その後、日露戦争のぼっ発から7カ月を経た明治37年（1904）9月、屯田兵制度の基礎である屯田兵条例が廃止され、この制度は歴史的使命を終えている。

なお、屯田兵に関する情報のひとつとして記させていただくのだが、著者の所属する「北海道屯田倶楽部」（事務局・札幌市北区）は、そのホームページ（単にこの倶楽部名をネットで検索するだけでよい）に屯田兵に関するあらゆる情報を蓄積し、各方面に提供する方向で努力しており、かつその情報量は少しづつではあるが、年々増加してきている。機関誌『屯田』も版を重ね、既に67号が発刊された。

したがって、屯田兵の制度、歴史、兵村の状況などについて、より深く知りたい方は、一般の書籍以外に同倶楽部ホームページを活用されれば、「生きた情報」に接することができて参考になるのではないかと思う。

また、蛇足かも知れないが、本州等には例を見ない、北海道独特の屯田兵がつくった「精神文化」面にも言及しておきたい。

それには、この同倶楽部の存在を知ることで、理解が早まるのではないか思う。

北海道屯田倶楽部は、昭和56年（1981）に屯田兵の子孫や歴史研究家たちを中心に創設された団体だが、その源流自体は、遠く明治35年（1902）に創設された「屯田倶楽部」までさかのぼる。恩給問題などで各兵村の屯田兵が大同団結し、屯田兵制度が終了する同37年頃までの間、活動を続けてきた。

北海道屯田倶楽部は、国を守りつつ豊穣な大地をつくるため、過酷な自然に立ち向かった7、337人の屯田兵の開拓精神──「開拓者魂」と団結する力を継承し、その精神文化を若い世代・後世にまで語り継ぐことを使命として、さまざまな活動を展開している。

道内各地の旧兵村所在地などで、屯田兵の子孫たちを含めてこうした目的で活動を行なっている団体も多く、そのうち次の諸団体は、同倶楽部の団体会員としても名を連ねている。

旭川屯田会・永山屯田会・一已屯田会・秩父別屯田会・当麻屯田会・相内屯田会・上湧別屯田会・納内町開拓屯田会・和田屯田歴史保存会・琴似屯田子孫会・江部乙屯田親交会・剣淵屯田倶楽部。

次に、道内37カ所の屯田兵村の配置は、左図で示したとおりである（北海道屯田倶楽部作成）。

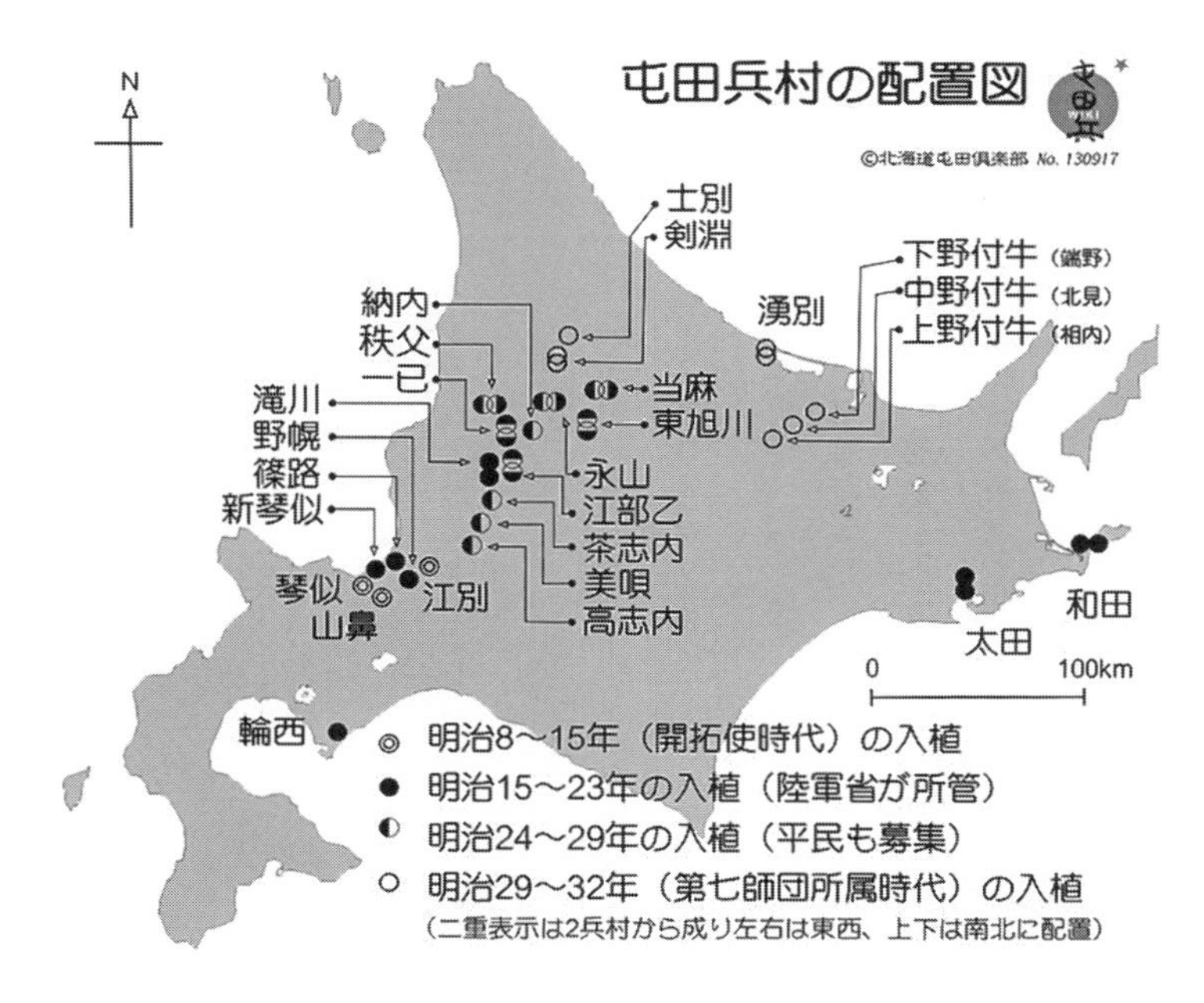
屯田兵村の配置図
©北海道屯田倶楽部 No. 130917
N
士別
剣淵
下野付牛（端野）
中野付牛（北見）
上野付牛（相内）
湧別
納内
秩父
一已
当麻
滝川
東旭川
野幌
篠路
永山
新琴似
江部乙
茶志内
美唄
琴似
江別
高志内
山鼻
和田
太田
0
100km
輪西
明治8～15年（開拓使時代）の入植
明治15～23年の入植（陸軍省が所管）
明治24～29年の入植（平民も募集）
明治29～32年（第七師団所属時代）の入植
（二重表示は2兵村から成り左右は東西、上下は南北に配置）

(2) 屯田兵の出身府県別数調べ

全国から集まった屯田兵は、明治8年（1875）の琴似兵村を皮切りに、同32年の剣淵・士別各兵村に至るまで、道内37の各兵村に入植して地域づくりを主導した。

・明治8年の198戸965人からスタートし、同19年には1、145戸6、115人に達した。

・以降、計画的な移住が進められたことにより増加の一途をたどり、同22年に人員数で1万人を超え、27年には4、905戸29、174人と現役戸数のピークに達した。

・その後、現役戸数は減少に転じるが、同32年には現役と予備役を合わせて7、215戸で、総人口は最多の40、295人にも上った。

・1戸当たりの平均人員数は、募集を士族に限定していた当初の10年ほどは約4・9人だが、募集族籍が平民にも広げられると5・6人と増え、全期間を通じての平均は5・4人だった。

・男女比は、全体として男性の割合が高く、80パーセントを超えた年も多くみられる。また、15歳

未満の者は51・8パーセントを占めていた、

次に、彼ら屯田兵たちの出身府県別内訳について触れたい。

「屯田兵のふるさと（原籍地）マップ」（北海道屯田倶楽部機関誌『屯田』第51号、2012年4月より転記。このデータの出典は上原轍三郎『北海道屯田制度』の第7章「屯田兵の原籍地」人員表を図案化したもの）によると、全国の屯田兵の出身地別内訳（順位別）の詳細は、おおむね左図及び左表のとおりである。

これを見ると、屯田兵の出身地は、神奈川、沖縄各県を除いて全都道府県にまたがっている。また、東北・北陸のほか、九州、四国など西日本からの入植者も比較的多いことがわかる。

その中で、福井県から屯田兵として渡道・入植したのは、総計268戸・1、419人となっており、府県別では12位にランクされている。

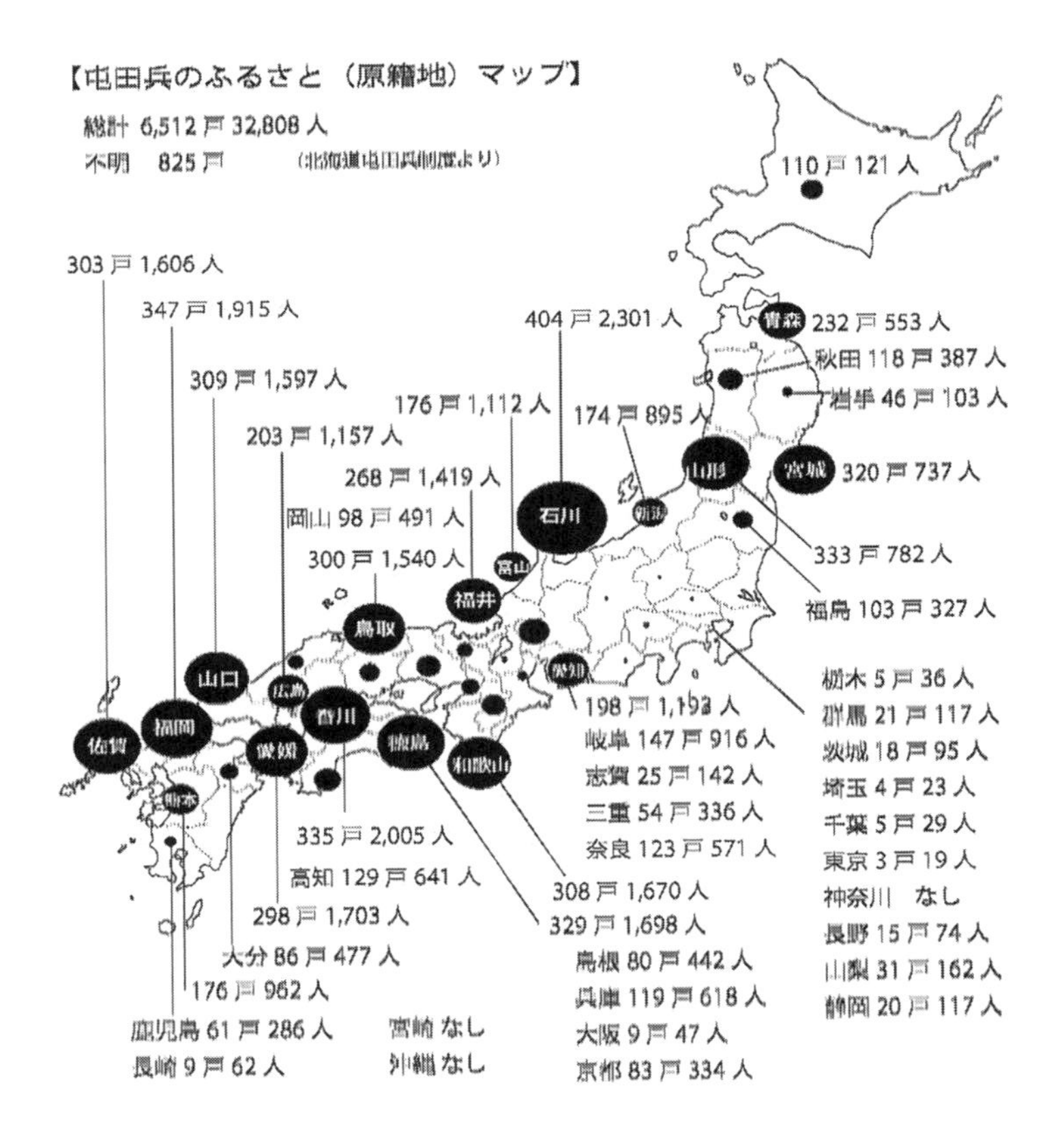
【屯田兵のふるさと（原籍地）マップ】
総計 6,512戸 32,808人
不明 825戸
（北海道屯田兵制度より）
110戸 121人
303戸 1,606人
347戸 1,915人
309戸 1,597人
203戸 1,157人
176戸 1,112人
404戸 2,301人
174戸 895人
268戸 1,419人
岡山 98戸 491人
300戸 1,540人
青森
232戸 553人
秋田 118戸 387人
岩手 46戸 103人
山形
宮城
320戸 737人
新潟
石川
富山
福井
鳥取
山口
広島
香川
福岡
佐賀
愛媛
徳島
和歌山
愛知
熊本
333戸 782人
福島 103戸 327人
栃木 5戸 36人
群馬 21戸 117人
茨城 18戸 95人
埼玉 4戸 23人
千葉 5戸 29人
東京 3戸 19人
神奈川　なし
長野 15戸 74人
山梨 31戸 162人
静岡 20戸 117人
198戸 1,192人
岐阜 147戸 916人
滋賀 25戸 142人
三重 54戸 336人
奈良 123戸 571人
335戸 2,005人
高知 129戸 641人
308戸 1,670人
298戸 1,703人
329戸 1,698人
大分 86戸 477人
176戸 962人
島根 80戸 442人
兵庫 119戸 618人
大阪 9戸 47人
京都 83戸 334人
鹿児島 61戸 286人
長崎 9戸 62人
宮崎 なし
沖縄 なし

〔屯田兵の出身府県別数（順位別内訳）〕

調査は全体の約89パーセントに当たる6、512戸・32、800人の原籍地を確認。
これによると、最多は石川・福岡・香川・山形・徳島・宮城各県の順となっている。

1位　石川県＊404戸＊2、301人　2位　福岡県＊347戸　1、915人
3位　香川県　335戸　2、005人　4位　山形県＊333戸　＊782人
5位　徳島県　329戸　1、698人　6位　宮城県　320戸　＊737人
7位　山口県　309戸　1、597人　8位　和歌山県308戸　1、670人
9位　佐賀県　303戸　1、606人　10位　鳥取県　300戸　1、540人
11位　愛媛県　298戸　1、703人　**12位　福井県　268戸　1、419人**
13位　青森県　232戸　＊553人　14位　広島県　203戸　1、157人
15位　愛知県　198戸　1、193人　16位　富山県　176戸　1、112人
17位　熊本県＊176戸　＊962人　18位　新潟県　174戸　895人
19位　岐阜県　147戸　916人　20位　高知県　129戸　641人
21位　奈良県　123戸　571人　22位　兵庫県　119戸　618人

23位　秋田県＊　118戸　＊387人
25位　福島県　103戸　＊327人
27位　大分県　86戸　477人
29位　島根県　80戸　442人
31位　鹿児島県＊　61戸　＊286人
33位　山梨県　31戸　162人
35位　静岡県　20戸　117人
37位　長野県　15戸　74人
39位　大阪府　9戸　47人
41位　千葉県　5戸　29人
43位　東京都　3戸　19人

24位　北海道　110戸　＊121人
26位　岡山県　98戸　491人
28位　京都府　83戸　334人
30位　三重県　54戸　336人
32位　岩手県　46戸　＊103人
34位　群馬県　21戸　117人
36位　茨城県　18戸　95人
38位　長崎県　9戸　62人
40位　栃木県　5戸　36人
42位　埼玉県　4戸　23人

注1　神奈川県・沖縄県・宮崎県は、なし。滋賀県は不詳だったが、北海道屯田倶楽部事務局に照会した結果、28戸・142人と判明した。

注2　出典は前述したように上原轍三郎『北海道屯田兵制度』。ただし、表中の＊印の県には、外に一部不明のものがあり、前記の書に「原籍不明のものは825戸とす」と書かれている。

(3) 福井県出身の屯田兵の兵村別配置内訳

福井県出身の屯田兵が、道内のどこの兵村に入村したかを、北海道屯田倶楽部ホームページ上のデータ（「屯田兵名簿データベース」）をもとに詳しく調べた結果は、左表のとおりである。

なお、これによると、その合計数は、先に述べた「出身府県別数内訳」（図表）の福井県数「268戸」と比較してやや多い「296戸」となっている。

この差の原因は、出身府県が不分明な部分を調べていく過程で、新情報が入って修正されたり、情報の間違いが判ったりして補正されたりした結果によるではないかと思われる。

ちなみに、このデータベースは各市町村史や兵籍簿などをもとに、元北海道屯田倶楽部会長・伊藤廣氏らがまとめた「屯田兵名簿」が原点とのことである。

また、この表を見ると、福井県からの屯田兵入植は、比較的遅い時期だったことがわかる。そのうちで最も早いのは、東和田屯田兵村（根室市）への明治19年（49戸）である。

注・和田屯田のある根室地方は、北辺の防備では非常に重要なところではあるが、農業（酪農を除く）のための開墾を行なうにはかなり厳しい気象条件のところなので、どうして最初にこの地を選んで入植したのかという素朴な疑問が残る。

また、戸数で最も多かったのは、北太田兵村（厚岸郡厚岸町）の79戸となっている。

〔福井県出身の屯田兵の兵村別配置内訳〕

〔兵村名〕	〔市町村名〕	〔福井県人配置戸数〕	〔入村したおおむねの時期〕
東和田兵村	根室市	49戸	明治19年頃
篠路（しのろ）兵村	札幌市北区	20戸	明治22年頃
北太田兵村	厚岸町	79戸	明治23年頃
南江部乙（えべおつ）兵村	滝川市江部乙町	13戸	明治27年頃
北江部乙兵村	滝川市江部乙町	15戸	明治27年頃
美唄（びばい）兵村	美唄市	2戸	明治27年頃
茶志内（ちゃしない）兵村	美唄市	2戸	明治28～29年頃
西秩父別（ちっぷべつ）兵村	秩父別町	10戸	明治28～29年頃
東秩父別兵村	秩父別町	10戸	明治28～29年頃

南一已（いちやん）兵村　深川市一已町　8戸　明治28～29年頃
納内（おさむない）兵村　深川市納内町　10戸　明治28～29年頃
北一已兵村　深川市一已町　7戸　明治29年頃
中野付牛（のつけうし）兵村　北見市　14戸　明治30～31年頃
上野付牛兵村（相内（あいのない））　北見市　12戸　明治30～31年頃
下野付牛兵村（端野（たんの））　北見市端野町　23戸　明治30～31年頃
南湧別（ゆうべつ）兵村　湧別町上湧別　4戸　明治31年頃
北湧別兵村　湧別町上湧別　8戸　明治31年頃
士別（しべつ）兵村　士別市　1戸　明治32年頃
南剣淵（けんぶち）兵村　剣淵町　3戸　明治32年頃
北剣淵兵村　剣淵町　6戸　明治32年頃
合　計　296戸

(4) 福井県出身の屯田兵の福井県内における出身地内訳（判明分）

福井県出身の屯田兵２９６戸のうち、相当部分は福井県内での出身地名まで判明している。判明分総数は１５４戸で、その内訳は次のとおりとなっている（北海道屯田倶楽部保管データより作成）。

なお、判明したのは、①北太田、②南一已、③下野付（端野）、④野付牛（中野付牛）、⑤上野付牛（相内）、⑥南湧別、⑥北湧別の６兵村である。

丸岡	9戸	内外海	1	雲浜	9	勝山	5
遠敷郡	2	敦賀	3	和田	1	鹿谷	1
六条	3	中名田	1	大野	3	西津	1
高椋	2	小山	1	福井	28	岡保	1
三国	2	酒生	1	坪江	1	東郷	2
長畝	1	下志比	1	中藤島	1	坂井郡	10

大野郡　11　今立郡　16　南条郡　20　足羽郡　2
吉田郡　12　丹生郡　2　福井郡　1
計　154戸　不明　142戸　以上合計296戸

⑸ 福井県人が入植した道内各屯田兵村の状況

福井県からの屯田兵たちが入植した各兵村が、一体どのようなところであったか、について調べてみた。その結果の概要は、次のとおりである。

なお、「入植戸数」欄には兵村全体の入植戸数ではなく、福井県からの入植戸数に絞って掲載した。

〔兵村名〕〔市町村名〕〔福井県からの入植戸数〕〔（入村したおおむねの時期〕

○ **東和田兵村**　**根室市**　**49戸**　**明治19年頃**

入植した根室市東和田地区は、対ロシア最前線に位置する国防上の重要拠点ではあったが、この地を含む根室半島は親潮・黒潮がぶつかり、春から秋にかけて海霧が発生。

農作物の栽培には不向きといえる。

屯田兵たちに与えられた土地も森林が多く、悪条件での開拓は想像を絶するものだった。屯田兵と家族たちは、このような自然に立ち向かわなければならず、農作物の収穫もままならないまま、開拓した土地の多くは荒蕪の地に帰り、現役が終わると同時に屯田家族は次々と散って行った。

・東和田兵村は明治19年に主に福井、石川、青森、秋田各県など東北、北陸から入植。220戸。一方、西和田兵村は同21、22年、主に福岡、鳥取、石川、広島各県などから入植。220戸。両村で計440戸だった。

・この地への兵村配置は、当時の根室県からの要請に基づくものだったといわれる。また、兵村名は明治19年設置の第2大隊長（初代）「和田正苗」の名に由来する。

・東和田兵村ができた明治19年当時、現在の根室市の市街地自体は、すでに形成されており、北方領土への「北の玄関」として繁栄していた（戸数1、387戸、人口5、540人）。

・悪条件下で開墾に苦労。給与地没収は全道37兵村中最多の64戸である（東西和田兵村計。ちなみに第2位の太田兵村は29戸、第3位の輪西兵村は20戸である）。

・指導者には札幌農学校兵事科卒業者も含まれてはいたが、士官・下士官は農業技術・農業経営の知識に乏しく、経済的に自立するまでに至らなかった。また、後年のことだが、兵村を去る者が多数出ると、留まった少数の者が土地を買い取り、規模拡大―酪農転換を図ったようだ。

・酪農の有望さは早くから関心を持たれていた。開拓使時代の明治8年にできた牧場が、明治19年、「根室牧畜場」として屯田兵本部に管理を移し、翌年、民間へ払い下げられたという。

・根室市西和田568―2に、明治18年頃作られた旧兵村の「被服庫」が現存している（道指定有形文化財）。米国の西部開拓建築に用いいれられた「バルーン・フレーム」構造で、旧札幌農学校の演武場（今の札幌時計台）と同じ構造である。また、和田神社境内には「和田屯田碑」がある（明治22年建立）。

○　篠路兵村　　札幌市北区　　20戸　　明治22年頃

入地者は一大湿地帯を眺め、一様に驚きを見せながらも、すでに入植していた新琴似兵村の人びとの温かい歓迎に、多少ながら不安を和らげた。

厳しい自然との闘いに挑んだ篠路の屯田家族だったが、石狩川の融雪期には毎年のように水害の苦しみを舐めた。

・篠路兵村は明治22年、北陸、近畿、四国、九州各地方や山口県など7府県から入植。計220戸だった。入植者の輸送には貨客船相模丸が使われ、小樽港に着岸。手宮から琴似までは幌内鉄道の炭車に乗り、そこから兵村までは徒歩で移動した。

・付近一帯は平均海抜2～5㍍の低地で、融雪期や秋の長雨に弱く常に水害の危険があった。明治31、35、37年の大洪水で被災。中でも31年の洪水被害は甚大で、兵村の3分の2が水没した。このため離村する者もあい次いだ。

・地味は肥えているが泥炭の土地も多かった。気候は割合温暖だが、石狩湾に近いため、冬季は季節風の影響を受け、局地的な大雪に見舞われることもあつた。

・兵村での現役3年間の訓練の多くを、排水路掘削工事に当てたとの記録がある。

・明治24～30年頃、「篠路大根」の産地として知られたが、同31年の洪水でだめになったという。明治42年に土功組合を結成、翌年公有財産を処分した資金で灌漑溝を作り、水田造成に取り組んだ。その結果、大正5年には680町歩の水田が造成されている。

・水害の心配がほぼ無くなったのは、昭和6年、約15年をかけて生振新水路が完成してからである。見方によっては、篠路兵村は札幌地区に入植した4兵村の中にあって、最も苦労を味わった兵村といえよう。

・同38年の日露戦争後は牧草、燕麦栽培もしたようだ。また、軽種馬（競走馬）の育成が盛んだった時期もあった。

・現在は札幌市と合併し、住宅地として大きく変貌したが、先人の偉業をしのぶ共有財産は、この地区の人びとの中に脈々と生き続けている。ちなみに、現在この地には「屯田郷土資料館」があるほか、屯田3番通沿いに、「水田開発記念碑」が立っている。

○北太田兵村　厚岸町　79戸　明治23年頃

厚岸湾から北方5キロの根釧台地の南東端にある。入植時は大森林で、土壌はあまり良くなかった（現在はこの一帯は大酪農地帯になっている）。

永山、和田両兵村と大きく違う点は、開拓に尽力し、兵村設置にも協力したアイヌ出身の「太田紋助」の名が冠されていることだ。屯田兵村は、滝川兵村とともに最後の「士族屯田」として入植したが、和田兵村と同様、夏は濃霧が襲い、農耕に適した地とはいえなかった。

農作物の収穫は伸びず、ついには生活苦から離村するといった状態から脱したのは、大正期に入り、馬産が成功してからであった。

・北太田、南太田各兵村は、明治23年東北・北陸の9県から入植した。それぞれ220戸ずつ、計440戸。建物は標茶にあった集治監（監獄）の囚人によって、明治22年に建てられた。

・福井県出身の入植者戸数は79戸と、比較的多かった。

・兵村地選定等に功績のあった「太田紋助」は、場所請負人山田文右衛門の番人中西紋太郎（大畑出身）と妻で厚岸のアイヌのシラリコトムの間に生まれた子供だった。

・「太田屯田の桑並木」（高さ8㍍のヤマグワ）が残っている。明治23年の屯田兵入植時、村では野桑が多かったこともあり、兵村では養蚕も奨励した。同26年、福井県出身の桃井新（中隊軍曹）が初めて養蚕に取り組み、結果良好だったので年々飼育者が増加した。

同29年には札幌から桑苗を取り寄せたが、枯れるものが多く、野桑の方がよく成長。一時は千株以上も植えた家もあったが、のちには気候変化等で収穫が減少。野桑も放棄されたり伐採されたりした。こうした中でも、野桑の一部が生き残った。

・ここの兵村は、地域住民の歎願があって創設された。
・粟、燕麦、豆類などを作付けしたが、多くは失敗に終わった。自給が困難で、積極的に厚岸の漁場などへ出稼ぎに出たりした。
・明治31年時点（入植8年後。後備役に）で半数近くが離村した。日露戦争で拍車がかかり、給与地没収者が29戸出た（南兵村5戸、北兵村24戸）。
残った者と新入植者の手で、馬産・酪農に活路が見い出された。稲作は試みはあったが、不成功に終わった。
・明治23年の入植と同時に、軍馬、農耕馬として30頭の馬を導入。その後も馬の改良、繁殖を行なう。大正2年には、道東の重要な馬産地として、釧路の大楽毛とともに名を馳せた。
また、農業のかたわらでの肉牛飼育、昭和10年代の乳牛転換を経て、現在の太田の酪農へと繋がっている。
・現地に「太田屯田兵屋」（道指定有形文化財）、「太田屯田開拓記念碑」、「中隊本部の碑」などがある。

○南江部乙兵村　滝川市江部乙町　13戸　明治27年頃

○北江部乙兵村　滝川市江部乙町　15戸　明治27年頃

両兵村は滝川市江部乙町にあり、石狩川、空知川が合流する空知平野の中央部にあたる。平民屯田で、明治27年、東北から九州までの20府県から入植した。南北それぞれ200戸ずつ計400戸。

リンゴ栽培と水田農家とに二分されている。いずれも屯田兵村時代に栽培が手掛けられたものである。

水田の多くは石狩川流域の低地にあった増給地・追給地に、リンゴ栽培は兵村の給与地・追給地に多くみられる。

屯田兵の入植時期は日清戦争の始まった年で、江部乙の屯田兵は臨時第7師団編入が予定されており、実践的な訓練が求められた。

・滝川市中心部から北方10キロあたりにあり、石狩川を挟み、一已兵村（現深川市）とも近接している。

・この頃は、付近の上川道路など交通網がかなり発展しており、鉄道も明治31年には旭川まで伸びていた。これにより滝川にも多くの人や物が集まり、消費も増大し、隣接の江部乙兵村にも農作物の需要が増大した。
・滝川兵村（明治22、23年入植。士族屯田の最後）の北側にあって、同兵村の経験も享受できた。
・江部乙のリンゴ栽培については、当初、滝川屯田兵村でリンゴが栽培されたが、そのうち病害虫が発生し全滅した。
その後、江部乙に移植したところ成功し、明治42年頃にはリンゴ栽培が軌道に乗った。これが江部乙リンゴの始まりである。
・麻、大豆なども栽培。麻の製線工場は滝川にあった。大豆栽培は安定収入につながったようだ。
明治28年には稲作試作にも成功したが、灌漑排水施設整備の必要性などから、すぐには進まず、本格的な水田耕作は大正期以降になった。
・明治31年の大洪水に被災した。被害は甚大で、その後もたびたび洪水被害があった。
・現地に「屯田兵屋」、「風雪90年屯田魂の碑」、「屯田兵家族の像」、「中隊本部跡」、「決死之標（練兵場跡）などがある。

○ 美唄兵村　美唄市　2戸　明治27年頃

熊の姿を見て逃げ帰り、夜は狼の遠吠えにおびえながら開拓の汗を流した屯田兵とその家族がいた地は、今は美唄市の中心地になっている。

明治23年屯田兵制度改正により、屯田兵には歩兵のほか騎兵、砲兵、工兵という特科隊が新設されることになり、沼貝村（現・美唄市）が移住地として定められた。

道内唯一の特科隊の兵村であり、上川道路の東西に、①美唄兵村（騎兵隊）、②茶志内兵村（工兵隊）、③高志内兵村（砲兵隊）がほぼ一列に並んで入植した（明治24〜27年）。

特科隊は、のちに起きた日露戦争で活躍した。

同一行政区に異なる兵種が入植したのは、美唄（沼貝村）だけである。

うち美唄兵村には「騎兵隊」が配置され、4カ年にわたり屯田兵が入植した。騎兵隊は乗馬訓練が主体で、連日激しい訓練が繰り返された。

・明治24〜27年、全国32府県から美唄兵村に入植した。計160戸だった。なお、福井県出身者は2戸と、少なかった。

・入植地はうっそうとした大森林地帯だったが、上川道路（現・国道12号）の両脇にあり、東西では地形的な特徴があった。

西側の石狩川にかけての地には泥炭地も多かったし、大雨のときは石狩川の逆流で中小河川が氾濫し、一部に農業に適しない土地もあった。東側は丘陵地で多くの炭層があり、かつては有数の石炭産出地だった。
・明治27年には日清戦争がぼっ発し、翌年、屯田兵たちは現役兵として出動させられ、東京で待機した。
・この頃、この地方では水田耕作も行なうようになって来た時期で、美唄兵村でも試作する者が現れた。明治30年頃には水田耕作をする者も多数出て、ある程度の収穫を得た。同34年灌漑溝建設が行なわれ、36年に竣功した。この地方は、最近では道内でも上川、北空知各地方に次ぐ有数の米どころに発展している
・屯田兵村の入植に誘導されるように、多くの一般団体移民が付近に入植した。
・現地に「美唄屯田兵屋」、「騎兵隊本部の碑」、「騎兵隊開村紀念碑」、「美唄屯田騎兵隊火薬庫」（道指定有形文化財）などがある。

○　茶志内兵村　　美唄市　　2戸　　明治27～29年頃

茶志内兵村は、美唄、高志内各兵村と同じく、本州の多くの府県から少人数ずつ入植

したという特色がある。明治24～27年、全国28府県から入植。計１２０戸だった。なお、福井県出身者は2戸と、少なかった。

ここは「工兵隊」の兵村で、目的は戦場で道路施設や橋を架けて歩兵、騎兵、砲兵等を進軍させることだった。

このため、その演習は石狩川で橋が爆破されたという想定で行なわれたこともあったといわれる。

・屯田兵とその家族は、入植するときは小樽に上陸したのち、鉄道で沼貝村まで向かい、あとは徒歩でたどりついた。兵屋に入った屯田兵たちは、息つく間もなく開拓や訓練に明け暮れた。

開拓後は麻、牧草などの収穫もあり、最低生活は保障されていたので、楽な生活ではなかったにしても、それほど苦にはならなかったと思われる。

○　西秩父別兵村　秩父別町　10戸　明治28～29年頃

○　東秩父別兵村　秩父別町　10戸　明治28～29年頃

滝川市中心部から北方20キロ、深川市中心部から北西10キロに位置。石狩平野の最北、北空知の雨竜川に抱かれた地にあり、一已兵村・納内兵村と同様、内陸部最後（剣淵・士別両兵村を除く）の屯田兵村である。

今や道内屈指の米どころとなっているが、屯田兵の苦労の賜物といえるだろう。屯田兵と家族が最初に入植したとき、中隊の幹部は日清戦争後のため出動していた。このため、訓練や開拓が開始されたのは、入植後2カ月余を経てからであった。隙間だらけの兵屋の中で、僅かながら収穫した麦や雑穀の飯を食べながら、人びとは故郷を思い、また明日の希望を語り合ったことだろう。

当時、中隊の中枢機関が置かれていた東秩父兵村は、現在も町の中心地である。

・明治28年、29年に全国24府県から入植。計４００戸。香川、富山、和歌山各県からの入植者が多い（西兵村２００戸は19府県から、東兵村２００戸は22府県から入植）。

・内陸部最後の屯田兵村として、一已、納内各屯田兵とともに入植。雨竜川流域で一部泥炭地があるが肥沃な土地だった。

・かつての広大な蜂須賀農場（華族農場）の跡地につくられた兵村である。

・小豆、ナタネも栽培（換金作物）、養蚕は明治30年頃から盛んになり、同40年がピークだった（同42年以降、一気に衰退した）。

・明治29年稲作の試作。同39年公有財産を処分した資金で灌漑工事を行ない、同44年完成。800町歩の増田に成功した。
なお、明治31年に当時の中隊長鷹森赳夫が「稲作立村」を決断したという。また、同25年に第4代道庁長官に就任した北垣国道は、北海道での稲作を長官として初めて奨励していた。
・現地に「屯田の鐘」、屯田兵ゆかりの「秩父別神社」、「中隊本部跡」、「練兵場跡」などがある。

○ 南一已兵村　深川市一已町　8戸　明治28～29年頃

○ 北一已兵村　深川市一已町　7戸　明治29年頃

深川市一已町にあった。兵村名の「一已」(いちゃん)とは、アイヌ語で「鮭の産卵する場所」を意味するが、「已」の字は「已む(やむ)」の「已」を使用する。

内陸の兵村で、石狩川と雨竜川に挟まれた肥沃な土地にあったが、場所によっては泥炭地もあった。上川道路は石狩川の反対側にあったので、流通面で不利な点はあった。

入植時は森林や笹などに覆われていて、昼間でも薄暗いほどだったという。第1大隊本部が置かれた一已兵村に入植した人びとは、ただちに抽選で決まっていた兵屋に入居した。

急ごしらえの道があるだけで、兵屋は原始林の真っ只中だった。伐採は兵屋にある給与地の周囲から始めなくてはならなかった。

秋の演習では、一已を見わたす丸山の頂上まで武装したまま駆けのぼることが繰り返された。屯田兵たちは、後に日露戦争での二百三高地攻略に当たって、「丸山での訓練が生きた」と述懐したという。

・明治28、29年、北陸から九州まで22府県より入植。計400戸。うち北兵村は22府県より200戸、南兵村は20府県から200戸となっている。香川、愛媛、富山、和歌山各県からが多かった。

・内陸部の兵村として納内、秩父別各兵村とともに入植。周辺に団体移住者の入植地もあり、前人未踏の地に入植した他の兵村に比べると有利だった。

・明治29年に稲作試作に成功、同31年より気運が高まり、用水を確保。造田工事が行われ、土功組合も設立されて、大正5年「大正用水」が完成。600町歩が造田された。

・明治31、34、39年の洪水に被災した。

・明治30年頃から養蚕が行なわれ、大正期末までリンゴ栽培も盛んだった。
・現地に「一已屯田資料館」、「屯田兵屋」（深川市生きがい文化センターに移設修復）、「屯田歩兵第1大隊本部跡」などがある。

○ 納内兵村　深川市納内町　10戸　明治28～29年頃

深川市中心部の東方に位置する。この地区の屯田兵は一已、秩父別両兵村の兵員と時を同じくして入植しており、開拓そして軍事訓練と同じ道をたどった。

開拓の苦労は大きかったものの、石狩川右岸に位置し土地は肥沃であった。しかも一戸当たりの土地区画は間口50間、奥行き200間で一万坪（3・3ヘクタール）と、同時期に入植した他の兵村より広かった。

今は、駅周辺に市街地が形成されているほかは、一面豊かな水田が広がる田園風景となっている。

・明治28、29年全国20府県から入植した。計200戸。香川、富山、佐賀、愛媛各県からが多かった。
・一已、秩父別各兵村とときを同じくして入植したが、他の二兵村とは違い、一個中隊

２００戸である。西から秩父別・一已・納内各兵村が東西に配置され、一番東に位置していた。

・入植時、中隊幹部は日清戦争で出征中で、開拓や訓練の開始はやや遅れた。土地は旧華族農場（蜂須賀農場）の跡地だった。

・入植時はトウモロコシ、大豆などを栽培。副業として養蚕、養鶏なども行なった。

・明治29年、空知太からリンゴの苗木を譲り受けて植え付けた。10年の歳月をかけ、「納内リンゴ」が世に出た。明治30年代には１６０㌶のリンゴ栽培地があり隆盛を迎えた。

・明治32年に北出長一はじめ石川県出身の屯田兵が藺草（イグサ）の試験栽培を行ない、その後、昭和６年には組合員30人までに発展した。

・明治30年より手探りで稲作を開始。一已兵村の「大正用水」に刺激を受けた形で、大正９年、「神竜土功組合」を結成、一已も参加し大正13年起工。昭和２年完工し、３、８００町歩の水田が完成した。

・明治31、34、37年の洪水に被災した。

○ 中野付牛兵村　北見市　14戸　明治30～31年頃

○ 上野付牛兵村　北見市　12戸　明治30～31年頃

（相　内）

かつて常呂川流域の湿地帯の原野であったことが信じられないほどの現在の北見。この地で開拓の汗を流した屯田兵とその家族がいた。この辺りは寒暖の差はあるが、緯度の割には温暖で日照時間も長く、農耕に適していた。

開拓にかける情熱は、土質、気候にも恵まれて、苦難の中にも希望の灯は赤々と燃えた。北見薄荷（はっか）と名をなすほどの成功を見る以前は、苦しい生計の連続だったが、それを乗り越えて彼らの永住に賭けた情熱と忍耐とが今美しく花開いている。

北見の整然とした街並み、水田化され農村らしさを残す相内は、それぞれ屯田兵の培った大地に育まれ今日の姿を築いた。

・明治30、31年に全国33府県から入植。計397戸。同時期に入植した中野付牛、相内と端野は、ほぼ同一地域をなしている。

・明治30年の屯田兵入植の一カ月ほど前、高知県から北光社移民が団体入植して農場を開設し、屯田兵らとともに今日の北見の発展の礎（いしずえ）を築いた。

・兵村の指導者の士官達は、この地に入る前に、他の兵村で農事経験を積み重ねていた。特に和田・太田の大隊長を経験した小泉大隊長（少佐）、当麻で中隊長を経験したあと2代目大隊長として赴任した三輪少佐が、この地で的確な指導をした。

・作物は馬鈴薯、大豆、麦などのほか、明治34年頃から薄荷の試作を開始しこれが成功。換金作物として大いに地域に貢献した。

大正期から昭和期にかけて、薄荷生産は一時、世界生産の7割を占めたという。現在は全国一のタマネギ生産地でもある。

・稲の試作も明治33年頃から行われ、特に三輪大隊長は稲作の可能性を見抜き、このあたり一帯で、大規模灌漑溝掘削事業を展開した。

・常呂川はたびたび氾濫。特に明治31年の洪水災害は大きかったが、農耕の成功で兵村の定着率も高かったようだ。

・信善光寺の「屯田人形」は、見るものを惹きつける存在。そのほか現地には「屯田兵屋」（北網圏北見文化センター内）、屯田兵ゆかりの「北見神社」、「三輪神社」、「屯田神社」、「大隊本部の碑」、「大隊本部営門柱」（屯田公園内）などがある。

○ 下野付牛兵村　北見市端野町　23戸　明治30～31年頃

（端　野）

網走港の沖合いに投錨した船から艀に乗り移り、川舟で遡上（そじょう）、草鞋（わらじ）に履き替え、兵村にたどりついた入植者達の目前に広がっていたのは、荒々しい自然の姿だった。兵村の地は北見盆地の東北端、常呂川の川下に位置している。

防寒具も不十分なまま酷寒の地で伐採、開拓に励み、農耕に希望を託そうとした屯田兵とその家族を苦しめたのは「悪魔の川」といわれた常呂川（ところがわ）の氾濫だった。

今、作物がたわわに実る大地となった陰に、屯田兵の苦労と治水工事があったことはいうまでもない。

・明治30、31年、全国31府県から入植した。計２００戸。特に石川・福井・岐阜・富山各県からの移民が多かった。端野は第４大隊第１中隊だったが、１区から3区に区分して開拓された。

・兵村の指導者は農事経験が豊かで指導力があったし、土地は比較的肥沃だった。

・明治34年頃から端野でも薄荷栽培が行われた。この産業は発展し、定着にも貢献した。その景気は「薄荷成金」と呼ばれたという。

・明治31年9月、常呂川の大洪水被害に遭遇。特に端野1区はほとんど水没、現在の国道沿いの高台に65戸全戸を集団移転するのに4年の歳月を要した。
　この高台移転は、1区が他と一線を画する契機となった。水田の夢を断ち切られたが、畑作にシフトし、薄荷栽培やタマネギ栽培の成功を生み、豆類、小麦、甜菜なども栽培した。
・稲作は入植翌年から試作、三輪大隊長が明治34〜35年から大規模な灌漑事業を展開した。
・現地に屯田兵ゆかりの「端野神社」、「端野水田発祥の碑」などがある。

○南湧別兵村　湧別町上湧別　4戸　明治31年頃

○北湧別兵村　湧別町上湧別　8戸　明治31年頃

　長い船旅の末の入植地の有様に、望郷の思いにかられたとしても無理はなかった。他の兵村同様、開拓には数々の辛苦をなめたが、リンゴ栽培に成功してからは畑作を中心に耕作が行なわれ、名声をあげた北見薄荷もこの兵村が発祥の地となっている。

　旧兵村の配置のほとんどを残す街並み、青々と広がる水田のかなたから、かつて屯田兵達が聞いた船の汽笛が聞こえてくるようだ。

・明治30、31年、全国35府県から入植。計399戸。うち北湧別兵村には29府県から199戸が移住。熊本・山形・岐阜各県からが多かった。一方、南湧別兵村には34府県から200戸が移住。愛知・熊本・山形・岐阜各県からが多かった。

・湧別港にも近く、流通面では有利だった。また兵村の指導者は農事に通じていた。

・湧別川沿いの低地肥沃な平野だが、北湧別の高台は地質上、重粘土で耕作不適だった。また低地は、融雪期や大雨の時期に洪水に遭うこともあった。現に明治31年の全道的な水害のとき被災した。

・兵村の指導者は農事経験を積んで、指導力があった。

・換金作物では、明治31年リンゴの苗木5千本を植え、同40年頃から収穫、リンゴ栽で成功した。

・薄荷も明治29年から試作を始め、同34、35年頃から本格的に栽培し成功、北見薄荷の基礎を築いた。

・その他、明治31年頃から稲作も試み、同33年頃、中隊本部も他地域から稲作指導者を招くなどかなり動いたが、結果として順調にいかず、下湧別では酪農、上湧別では畑作に切り替えたようだ。

・明治33年頃より、馬鈴薯からの澱粉（でんぷん）製造も行なっている。
・総じて農耕成功が人びとの定着率を高めた。
・「屯田兵屋」や「屯田兵の肖像画（日本の肖像画の大家・馬堀法眼画伯作）」が湧別町ふるさと館ＪＲＹにある。現地には、ほかに屯田兵ゆかりの「上湧別神社」、「第４大隊第４、５中隊本部跡」などがある。

○　士別兵村　　士別市　　1戸　　明治32年頃

天塩川と剣淵川の合流点よりやや上流に、最北の屯田兵が入植したのは、明治32年のことだった。当時、鉄道は和寒（わっさむ）まで敷設されていて、そこから屯田兵と家族は徒歩で剣淵兵村に行き、剣淵屯田兵らと共に第３大隊入隊式を終え、さらに道なき道を歩いて士別兵村に到着した。

給与地の開拓は家族にまかせ、屯田兵達は軍事訓練と鉄道の敷設や停車場建設、排水溝の掘削など、共同施設づくりに追われた。

入植の翌年には、一般移民も付近に入植して賑やかになり、次第に兵村の多くが市街中心地へ組み込まれていった。

雪深い北限の地で稲作に挑み、多くの農作物を育て上げている。
・明治32年、全国28府県から入植。計99戸。宮城・福島各県からの入植者が多い。なお、福井県からの入植者は、ごく少ない数だった（1戸）。
・手塩川と支流剣淵川の合流点付近の盆地で、物流や道北防衛の要の地にある。同時期に入植した剣淵屯田兵村とは同一地域。最北の屯田兵村で稲作北限地帯にある。また、剣淵川流域は泥炭地・粘土質で耕作に適しておらず、天塩川流域は比較的農耕適地である。
・ある屯田兵の述懐によれば「現役中は自分の土地の開墾をほとんどやれなかった」つまり現役の5年ほどの間は、幹線道路や灌漑溝の掘削、剣淵兵村の飲料水確保の支援などで忙殺されたようだ。
・屯田兵の入植直後から、多くの開拓民が付近に入植した。のち市街地に隣接した屯田兵入植地は、都市化の波に呑まれる。
・明治40年頃は、この地方も薄荷をかなり生産したが、のちにその中心地は北見方面へ移った。明治期末から大正期にかけては亜麻栽培も花形だった。
・大正5、6年は、士別地方は全国一の澱粉製造の主産地だった。明治37年には乳牛も飼育した。

・稲作は明治33年、屯田兵の山畑善蔵が初めて試作。同38年頃からすべての地域に広がり、中隊長も奨励したという。

・士別市立博物館敷地内に「屯田兵屋」が残る。また現地には、屯田兵ゆかりの「士別神社」、「中隊本部跡」などがある。

○　南剣淵兵村　剣淵町　3戸　明治32年頃

○　北剣淵兵村　剣淵町　6戸　明治32年頃

屯田兵村の原型を 多くとどめ、穀倉地帯として青々とした耕地が広がる剣淵町も、士別市とともに屯田兵最後の入植地だった。

第三大隊本部が置かれたこの兵村は、剣淵川流域の泥炭質の湿地で、泥炭地も多いうえに水質が悪く、生活給水の確保も困難だった。給水溝導入が必要とされていたが進まず、3年にわたりほかから汽車で給水をする、という有様だった。

しかし、こうした厳しい自然に、一丸となって黙々と戦い続けた屯田兵と家族のたゆまぬ勇気と努力が、不可能を可能にして今日の剣淵町を築き上げたのだ。

・明治32年、全国35府県から入植。計337戸。うち南兵村は32府県から169戸が入植。和歌山・岐阜・福島・宮城・山形各県からが多かった。また北兵村は35府県から168戸が入植し、岐阜・和歌山・福島・山梨各県からの入植者が多かった。

・開拓地も水はけが悪く耕作が困難だった。明治36年ペオツペツ川上流から水を引く灌漑溝工事に着手、同37年完成したが、同年日露戦争が勃発し、出征中に灌漑溝が荒れてしまう。

このため離れて他へ移る者が多かっが、残った人びとにより、明治42年に中央幹線用水路が完成した。

・剣淵町資料館敷地に「屯田兵屋」が残る。ほかに現地には、屯田兵ゆかりの「剣淵神社」、「兵村碑」などがある。

以上のとおり、福井県人の各屯田兵村への入植戸数は、合計　296戸であった。

(6)〔資料〕福井県からの屯田兵入植者名簿

個人的な話になるが、私が理事として所属している「北海道屯田倶楽部」(事務局・札幌市北区新琴似）のホームページの「屯田兵名簿データーベース」欄に、屯田兵の名簿が掲載されている。しかも、興味深いことに、この名簿には屯田兵の「出身県」のほか、欄外（「原籍」欄）に、出身県の中のどの郡・市町村・地区から来た人か、という点まで記載されているところも、部分的に含まれている。

本項では、この名簿の中から「福井県から入植した屯田兵」のみを抜き出して、以下に紹介することとしたい。

ただし、この名簿については、物理的な調査・把握等の困難さを伴う性質のものであることから、今後、新しい情報等により、一部の補正が必要になる場合もあり得るものであることを、お含みいただきたい。

〔福井県からの屯田兵入植者（各兵村別名簿）〕

○ 篠路兵村　20人

〔番号〕	〔入植年月〕	〔氏　名〕	〔番号〕	〔入植年月〕	〔氏　名〕
1	明治22・7	吉川祐三郎	2	〃	中村太郎吉

3	〃	脇野喜太郎	4	〃	鈴木錦之助
5	〃	大橋 輝雄	6	〃	中西 治平
7	〃	菅田 喜作	8	〃	佐藤佐太郎
9	〃	長山金之助	10	〃	伊藤小弥太
11	〃	間宮 圭太	12	〃	宮崎 七郎
13	〃	山内儀三郎	14	〃	大橋 剛太
15	〃	森 平造	16	〃	吉川仁太郎
17	〃	森田 謹也	18	〃	高間久三郎
19	〃	矢田与三八	20	〃	溝口 錦八

○ 東和田兵村 49人

〔番号〕	〔入植年月〕	〔氏 名〕	〔番号〕	〔入植年月〕	〔氏 名〕
1	明治19・6	林田 正	2	〃	金崎庄太郎
3	〃	別所 角馬	4	〃	松浦 極

5 〃 川越弥三郎
6 〃 城戸　伍作
7 〃 小士　亀吉
8 〃 松田　正就
9 〃 金子　貞吉
10 〃 瀬戸重太郎
11 〃 高橋巳之助
12 〃 青山　廣吉
13 〃 中山　政雄
14 〃 竹下　高松
15 〃 伴　仙蔵
16 〃 高村辰五郎
17 〃 児玉　貞吉
18 〃 大藤辰五郎
19 〃 堀　惣与吉
20 〃 草野　蔵
21 〃 高村文四郎
22 〃 青山八百吉
23 〃 郷司　豊
24 〃 岡野政太郎
25 〃 森　長十郎
26 〃 拝川　清松
27 〃 間宮鴻一郎
28 〃 湯川　門太
29 〃 林　半弥
30 〃 今井富次郎
31 〃 白新田亀之助
32 〃 藤井　音吉
33 〃 松江武三郎
34 〃 本多吉太郎

番号	入植年月	氏名	番号	入植年月	氏名
35	〃	斎藤嘉藤次	36	〃	小曽戸覚蔵
37	〃	逢坂　又吉	38	〃	境　十次郎
39	〃	市橋巳之助	40	〃	滝　栄太郎
41	〃	大崎　米吉	42	〃	吉田和三郎
43	〃	小畑長吉郎	44	〃	清水　重正
45	〃	徳力　要人	46	〃	金崎　紋治
47	〃	野尻　民也	48	〃	坪川　辰治
49	〃	前川喜久太			

○ 北太田兵村　79人

〔番号〕	〔入植年月〕	〔氏　名〕	〔原籍〕	〔番号〕	〔入植年月〕	〔氏　名〕	〔原籍〕
1	明治23・7	松田　粂蔵	丸岡	2	〃	堅口　伊吉	丸岡
3	〃	伊東　清	丸岡	4	〃	長田　正議	丸岡
5	〃	河原　末吉	丸岡	6	〃	城戸　重蔵	丸岡

7　〃　松田　勇蔵　丸岡
9　〃　野村　金六　内外海
11　〃　滝川安太郎　勝山
13　〃　堀　亮忠　勝山
15　〃　中村　耕一　勝山
17　〃　武藤　定吉　雲浜
19　〃　本間　喜八　雲浜
21　〃　加藤　梅吉　敦賀
23　〃　野々口為三　雲浜
25　〃　山本雄八郎　雲浜
27　〃　秦　周　鹿谷
29　〃　斎藤　嘉内　六条
31　〃　平尾　駒吉　大野
33　〃　前後　弥吉　福井
35　〃　石沢　珠樹　福井

8　〃　長船弥太郎　丸岡
10　〃　廣沢璋二郎　雲浜
12　〃　望月　万彦　雲浜
14　〃　石流　貫蔵　雲浜
16　〃　安島　末松　勝山
18　〃　丁野　友蔵　敦賀
20　〃　藤井又九郎　遠敷郡
22　〃　畑田　源吾　和田
24　〃　北村又三郎　雲浜
26　〃　福浦信太郎　敦賀
28　〃　田中　外吉　勝山
30　〃　森下　三蔵　中和田
32　〃　武藤定次郎　西津
34　〃　三岡　岩吉　福井
36　〃　片山　三郎　福井

37 〃 内田弥三郎 福井
39 〃 剣持　孫吉 福井
41 〃 黒本　達也 高椋
43 〃 吉村　音松 大野
45 〃 村上　倭衛 小山
47 〃 桃井　新 福井
49 〃 沢村富太郎 大野
51 〃 木村文太郎 福井
53 〃 高木　末吉 福井
55 〃 高間　源造 福井
57 〃 細田　渥 酒生
59 〃 斉藤嘉太郎 福井
61 〃 佐藤清太郎 岡保
63 〃 菅谷　一雄 三国
65 〃 篠崎　祐一 三国

38 〃 津田貴九郎 福井
40 〃 瀬尾　駒吉 福井
42 〃 瀬波登喜太 福井
44 〃 須崎　済 福井
46 〃 渡辺　博一 福井
48 〃 内田與三吉 福井
50 〃 前田喜一郎 福井
52 〃 徳村　新吉 福井
54 〃 伊藤　捨吉 福井
56 〃 服部　鉄夫 福井
58 〃 高嶋武兵衛 福井
60 〃 林　伊之平 六条
62 〃 嶺　石松 高椋
64 〃 峰谷藤次郎 六条
66 〃 大平　一馬 六条

67	〃	船瀬佐太郎	福井
68	〃	林田　三郎	坪江
69	〃	渡辺重太郎	東郷
70	〃	柴田　春造	雲浜
71	〃	矢野　留吉	福井
72	〃	土肥　　瀰	長畝
73	〃	稲沢　留吉	福井
74	〃	室田　末松	下志比
75	〃	渡辺幸太郎	東郷
76	〃	富永　駒吉	福井
77	〃	大橋弥三吉	丸岡
78	〃	岡田　金作	福井
79	〃	竹田　石松	中藤島

○美唄兵村　２人

〔番号〕	〔入植年月〕	〔氏　名〕
1	明治27・7	松山　房吉
2	〃	酒井　源蔵

○茶志内兵村　２人

〔番号〕	〔入植年月〕	〔氏　名〕
1	明治27・7	加藤　末市
2	明治29・7	亀井忠兵衛

○ 南江部乙兵村　13人

〔番号〕	〔入植年月〕	〔氏　名〕
1	明治27・5	木下　藤助
2	〃	中沢熊太郎
3	〃	替地　浅吉
4	〃	白新田恒太郎
5	〃	多田　力蔵
6	〃	沢　　市松
7	〃	福永伝兵衛
8	〃	村井八百吉
9	〃	加藤　仁市
10	〃	上山弥三郎
11	〃	野尻　京松
12	〃	岩崎　初吉
13	〃	平沢　末松

○ 北江部乙兵村　15人

〔番号〕	〔入植年月〕	〔氏　名〕
1	明治27・5	山口　秀松
2	〃	増永　春吉

3	〃	布川　松野	4	〃	内田　豊
5	〃	吉田　元吉	6	〃	氷坂　嘉蔵
7	〃	辻井　與蔵	8	〃	大道　寅松
9	〃	中林　栄吉	10	〃	亀井　勇松
11	〃	森下　弥平	12	〃	寺本　末松
13	〃	伊藤　与作	14	〃	島田与三松
15	〃	木下鉄五郎			

○ 南一已兵村　8人

〔番号〕	〔入植年月〕	〔氏　名〕	〔原籍〕	〔番号〕	〔入植年月〕	〔氏　名〕	〔原籍〕
1	明治28・5	森川　清	坂井郡	2	〃	丹後　乙松	大野郡
3	明治29・5	五十嵐國松	今立郡	4	〃	宇野松太郎	南条郡
5	〃	松浦源太郎	吉田郡	6	〃	大谷栄次郎	吉田郡
7	〃	山　勘太郎	坂井郡	8	〃	坪田　栄作	吉田郡

○北一已兵村　7人

〔番号〕	〔入植年月〕	〔氏名〕	〔原籍〕	〔番号〕	〔入植年月〕	〔氏名〕	〔原籍〕
1	明治29・5	西　八助	今立郡	2	〃	大橋　久吉	足羽郡
3	〃	市村与三郎	遠敷郡	4	〃	山崎　文作	南条郡
5	〃	高野　岩松	南条郡	6	〃	橋本勘次郎	南条郡
7	〃	佐々木　嗣	大野郡				

○西秩父別兵村　10人

〔番号〕	〔入植年月〕	〔氏名〕	〔番号〕	〔入植年月〕	〔氏名〕
1	明治28・5	吉岡　清吉	2	〃	斉藤　利作
3	〃	箕輪　宰一	4	〃	宮川　藤助
5	〃	斎藤　治作	6	〃	安達　仁松
7	明治29・5	替地　元吉	8	〃	内海　廣

〔番号〕	〔入植年月〕	〔氏　名〕
9	〃	村上与次郎
10	〃	西出　亥松

○ 東秩父別兵村

〔番号〕	〔入植年月〕	〔氏　名〕
1	明治28・5	近江市太郎
2	〃	清水松次郎
3	明治29・5	道斎与太郎
4	〃	森岡　寅作
5	〃	山田　利作
6	〃	南　金蔵
7	〃	白崎　与吉
8	〃	久保松太郎
9	〃	市橋徳次郎
10	〃	前田吉太郎

○ 納内兵村

〔番号〕	〔入植年月〕	〔氏　名〕
1	明治28・5	馬場長五郎
2	明治29・5	野坂清太郎
3	〃	村上　清松
4	〃	山口猶太郎
5	〃	南山荘次郎
6	〃	村中　末松

7	〃	山口　吉松		8	明治28・5	島野　荘助	
9	〃	村中　伊助		10	〃	山崎　善蔵	

○下野付牛兵村（端野兵村）　23人

〔番号〕	〔入植年月〕	〔氏　名〕	〔原籍〕	〔番号〕	〔入植年月〕	〔氏　名〕	〔原籍〕
1	明治31・6	伊藤政五郎	坂井郡	2	〃	伊藤辰十郎	大野郡
3	明治30・6	井関保治郎	吉田郡	4	〃	宇野庄右衛門	今立郡
5	明治31・6	奥田　乙松	南条郡	6	明治30・6	岩崎　猶蔵	今立郡
7	明治31・6	岩崎　力松	南条郡	8	〃	吉森　春吉	大野郡
9	明治30・6	吉田　石松	吉田郡	10	明治31・6	高橋　藤松	南条郡
11	〃	寺本由太郎	南条郡	12	明治30・6	小林助太郎	大野郡
13	明治31・6	上山　力蔵	南条郡	14	〃	斉藤　黙鋭	大野郡
15	明治30・6	浅川　幸助	坂井郡	16	明治31・6	増永由次郎	今立郡
17	明治30・6	大平竹次郎	吉田郡	18	明治31・6	中澤佐治郎	南条郡
19	〃	長谷川源之丞	坂井郡	20	〃	南部庄太郎	吉田郡

21	〃	飯田　安吉	南条郡	22	明治30・6	富山九之助	大野郡
23	明治31・6	立石新三郎	南条郡				

○中野付牛兵村（野付牛兵村）14人

〔番号〕	〔入植年月〕	〔氏　名〕	〔原籍〕	〔番号〕	〔入植年月〕	〔氏　名〕	〔原籍〕
1	明治30・6	伊藤　直吉	坂井郡	2	〃	江岸仁之助	足羽郡
3	〃	大谷助太郎	大野郡	4	〃	奥村牛之助	坂井郡
5	〃	黒田　広治	今立郡	6	〃	竹下　増吉	丹生郡
7	明治31・9	田野中仁吉	南条郡	8	〃	橋本徳三郎	南条郡
9	明治30・6	古川治郎右衛門	大野郡	10	〃	堀江　治助	今立郡
11	〃	山崎巳之助	大野郡	12	〃	山本　三吉	吉田郡
13	〃	横道　由松	今立郡	14	〃	和田　政吉	坂井郡

○上野付牛兵村（相内兵村）12人

〔番号〕	〔入植年月〕	〔氏　名〕	〔原籍〕	〔番号〕	〔入植年月〕	〔氏　名〕	〔原籍〕

1	明治30・6	芦原　正	福井郡	2	明治31・9	伊藤四郎左衛門	南条郡
3	明治30・6	宇野彦三郎	今立郡	4	明治31・9	梅田　菊松	今立郡
5	明治30・6	立筋　新松	今立郡	6	〃	長谷川石三郎	吉田郡
7	明治31・9	林　幾太郎	丹生郡	8	明治30・6	平下　小吉	吉田郡
9	〃	松田半五郎	吉田郡	10	明治31・9	松山徳次郎	大野郡
11	明治30・6	山川　仁吉	吉田郡	12	明治31・9	山田　留吉	今立郡

○南湧別兵村　4人

〔番号〕	〔入植年月〕	〔氏　名〕	〔原籍〕	〔番号〕	〔入植年月〕	〔氏　名〕	〔原籍〕
1	明治31・9	谷口　栄吉	今立郡	2	〃	青木善之助	南条郡
3	〃	松村松五郎	今立郡	4	〃	沢崎　太作	南条郡

○北湧別兵村　8人

〔番号〕	〔入植年月〕	〔氏　名〕	〔原籍〕	〔番号〕	〔入植年月〕	〔氏　名〕	〔原籍〕
1	明治31・9	八田留次郎	今立郡	2	〃	岩倉　初吉	坂井郡

番号	入植年月	氏名	出身
3	〃	上山　弥吉	南条郡
4	〃	大川　兼松	南条郡
5	〃	河村喜三郎	福井市
6	〃	木下　藤吉	南条郡
7	〃	滝田滝三郎	坂井郡
8	〃	服部多四郎	今立郡

○　南剣淵兵村　3人

〔番号〕	〔入植年月〕	〔氏　名〕
1	明治32・7	青柳　五作
2	〃	黒川　藤吉
3	〃	藤原　末吉

○　北剣淵兵村　6人

〔番号〕	〔入植年月〕	〔氏　名〕
1	明治32・7	京藤由太郎
2	〃	坂下　長松
3	〃	佐藤丑太郎
4	〃	野田　梅吉
5	〃	藤木松次郎
6	〃	山口　吉松

○　士別兵村　1人

〔番号〕〔入植年月〕　〔氏　名〕

1　明治32・7　小倉松次郎

五　福井県人が団体移住した北海道の入植先

(1) 北海道開拓の村の調べによる団体移住の入植先

福井県からの北海道移住者を調べる場合、団体（団結・集団）移住以外の「個人の単独移住」は実態の把握が困難である。

一方、団体移住は郷里とか結社、宗教などを同じくする者が団結して移住し、助け合い、励ましあって開墾に従事するので、概して言えばその成績は単独移住者に比べ、勝っているといえよう。特にリーダーが優れている場合は、顕著な働きをすることも多いので、北海道庁などは団体移住を奨励してきた経過がある。現に、福井県以外の都府県からの団体移住の事例も多い。

そういう事情もあって、ここでは屯田兵・漁業移民などを除く福井県からの団体移住事例について、筆者が把握できた結果を紹介することとしたい。

先ず、北海道側資料（『北海道開拓の村解説シート「移住」―2』）により、福井県人が団体移住した主な入植先を拾ってみたところ、次の表のとおりとなっている。

注・ただし、これ以外にも該当する事例がある可能性が強いので、別途、各市町村史その他の資料を独自に調査したうえで、解説文を付けて後述することにしたい（後述「五(3)福井県人が団体移住した北海道の入植先の総括（屯田兵・漁業移民入植を除く）」参照）。

また、これらの団体移住等にまつわるトピックを、後述する「十　福井県人移民にまつわるこぼれ話・ドラマ」で取り上げてみる。

〔北海道開拓の村の資料から抜き出した福井県からの団体移民事例〕

〔地方〕	〔市町村名〕	〔農民団体〕	〔屯田兵〕	〔入植年〕
石狩	札幌市西区	福井		明治19年
渡島	八雲町	福井		大正4年

後志	ニセコ町	福井	明治33年
日高	三石町	福井	明治24年
空知	歌志内市	福井	明治32年
	栗沢町	福井	明治26年
	(現岩見沢市)		
	南幌町	福井	明治27年
	長沼町	福井	明治27、29年
上川	富良野市	福井	大正2年
	中富良野町	福井	明治31年
留萌	羽幌町	福井	明治29年
	初山別村	福井	明治29年
	遠別町	福井	明治30年
	天塩町	福井	明治32年
	幌延町	福井	明治32年
十勝	帯広市	福井	明治30年

	士幌町	福井	明治30年
	新得町	福井	明治33年
	清水町	福井	明治33年
	芽室町	福井	明治31年
	中札内村	福井	明治30年
	広尾町	福井	明治44年
	池田町	福井	明治29年
	本別町	福井	明治31年
釧路	鶴居村	福井	明治35年
	厚岸町	福井（屯田兵）	明治23年
根室	根室市	福井（屯田兵）	明治19年

(2) 北海道に残る福井県ゆかりの「地名」

北海道内各地の地名は、ほとんどがアイヌ語に由来するもので、特に暮らしと関わりの深い自然の地名が実に多い。このことは地域の特徴といえるだろう。

ここで、アイヌ語に由来する地名のごく一部を紹介すると、次のとおりである。

・「平岸」（札幌市内）アイヌ語の「ピラ・ケシ」（崖・端）に由来
・「苗穂」（札幌市内）同　右　「ナイポ」（小さな川）に由来
・「伏古」（札幌市内）同　右　「フシコ・サッポロ・ペッ」（古い札幌川）に由来
・「稚内市」　同　右　「ヤム・ワッカ・ナイ」（冷たい水の出る沢）に由来
・「留萌市」　同　右　「ルルモッペ」（汐が奥深く入る川）に由来
・「長沼町」　同　右　「クンネトー」（細長き沼）に由来
・「由仁町」　同　右　「ユウンニ」（温泉のあるところ）に由来
・「別海町」　同　右　「ペツカイユ」（川の折れ曲がっている）に由来

しかし、北海道の地名は、それ以外に例えば開拓移民に関連した地名（移民の出身地の地名、移民団体のリーダーとか農場主の名前など）や、彼らが関わった地域の産業（桑や麻、藍の栽培、砂金採取など）、将来の希望（美しが丘、平和、米里、曙など）その他の特殊な事情が、地名の由来になっている事例も、しばしば見受けられるのだ。

この機会に、「北海道の地名」に興味を持っていただけるよう、具体例をいくつか列挙しておきたい。

①　出身地が地名の由来に

「越中開墾」…岩見沢市にある地名。明治22年富山県人が入植したことに由来。

「加賀団体」…長沼町にある地名。明治31年に石川県人が入植したことに由来。

「新十津川町」…町名は明治23年に奈良県十津川村より水害被災者が入植したことに由来。

②　代表者名などが地名の由来に

「仁木町」…町名は明治12年この地に移民を率いて入植した徳島県人仁木竹吉の名に由来。

「前田」「手稲前田」…札幌市内にある地名。明治33年に「前田農場」を開設した旧加賀藩主、前田家の名に由来。

「月形町」…町名は明治14年にこの地に設置された「樺戸集治監」(監獄)の典獄・月形潔（旧福岡藩士）の名に由来。

③　地域の産業などが地名の由来に

「桑園」…札幌市の地名。明治期に旧庄内藩士を招いて桑畑を造成したことに由来。

「金山」…南富良野町にある地名。明治24年に砂金業者が入ったことに由来。

「水車町」…札幌市内の地名。明治期に精米・製粉を行なう水車小屋が多かったことに由来。

④ 将来の希望・その他特殊な事情が地名の由来に

「清里町」…清らかな里が町名の由来。

「美しが丘」…札幌市内の地名。昭和59年から造成したニュータウンに地元で議論して選んだもの。

「屯田」「屯田町」…札幌市内の地名。明治22年この地に誕生した「篠路屯田兵村」に由来。


次に、これらのうち福井県から入植した開拓移民に由来した地名を、筆者の調べた範囲で紹介すると、次のとおりである。

ア　出身地が地名の由来に

① 札幌市以外の全道

〔地　名〕〔所在市町村〕〔地名の由来〕

○ 福井　ニセコ町　明治33年、福井県坂井郡、大野郡などから団体入植し、「福井部落」、「福井団体」と称した（明治23年、同29年にも入った形跡がある）。

現在も郵便番号簿を見ると、「福井」地区名が残る。

○ 白山　奈井江町　明治29〜30年、奈井江町白山地区及び周辺に、石川県及び福井県からこの地に団体移住した。

入植地には、故郷石川、福井両県より眺望された「白山」の名をとり、「白山部落」と名付けられた。現在も郵便番号簿を見ると「白山」地区名が残る。

○ 越前　岩見沢市栗沢町　明治26年、29年、31〜33年、35年に福井県坂井郡などから入植し、入植地を「越前開墾」、「越前」地区と称した。現在も郵便番号簿を見ると「越前」地区名が残る。

○　福井（大野開墾）　南幌町

明治27年～31年、福井県大野郡から幌向原野に団体移住し、この地区一帯は「大野開墾」と称された。

現在、南幌町南15線西11番地に「大野神社跡」があり、その由来によると、福井県出身者が多く入植した大野開墾地においては、明治30年4月、この地に八幡大神を祀り、毎年8月15日を例大祭としたという。

また、南幌町南17線西12番地に「幌向村立鶴城尋常小学校跡」（注・幌向村＝現南幌町）が残っているが、その由来によると、鶴城地域は開拓当初、「飛騨大野開拓地」として開拓されたが、明治30年には戸数１００戸を越え、児童数も１５０人に至った。地元民は教育施設を強く要望したので、福井県出身の広田甚太郎は自己所有地６００坪を小学校敷地として寄付し、小学校建設に奔走したという（明治32年開校。昭和8年廃校）。

② 札幌市内

【地　名】　【所在市町村】　【地名の由来】

○ 福井　札幌市西区　明治19年、福井県から伊藤太治兵衛・佐々木善兵衛が入植。その後、同30年までに13戸が入植（ほとんどが福井県丹生郡出身者）。昭和17年、手稲村の字名改正で「福井」（フクキ）の行政地名が定められたが、それ以前は、大字上手稲村字左股（ひだりまた）の一部だった。昭和42年の札幌市と手稲町の合併時に「手稲福井」、同56年「福井」となる。

イ　代表者等が地名の由来に

① 札幌市以外の全道

【地　名】　【所在市町村】　【地名の由来】

○ 青山　池田町

明治29年、福井県足羽・丹生・坂井各郡から、青山奥左衛門をリーダーとする福井団体が、中川郡利別原野に入植した（計画戸数30戸＝福井県側データ。入植者数について複数説があり『池田町史』では27戸）。

現在も、池田町には青山奥左衛門にちなむ「青山」地区名が残る（郵便番号簿参照）。青山は明治23年に札幌郡へ入植、のち下利別に来てからも稲作に努めて、明治31年これに成功した。彼らは池田農場や高島農場とは異なり、当初から5町歩を持つ自作農としての入植だった。

○ 大和田　留萌市

留萌市発展の基礎を築いた「大和田炭鉱」の経営者・大和田荘七（福井県敦賀市出身）に由来する。明治末期〜昭和30年代にかけて約3、000人が暮らす一大市街地を形成した。

ウ　将来の希望その他特殊な事情が地名の由来に

①　札幌市以外の全道

〔地　名〕　〔所在市町村〕

〇　幸福　帯広市幸福町

〔地名の由来〕

明治30年、福井県大野市から集団移住があった頃、「サツナイ」（乾いた川）と呼ばれていたが、入植者は「サツナイ」に「福井」の一字「福」と、古語で地震のことが「なゐ」といわれたことから、「幸震」の字をあてたようだ。しかし難読なため「こうしん」と呼ばれるようになったが、福井県移住者（「福井団体」）が多かったので「幸福」に改められたという。＊旧広尾線「幸福駅」は昭和62年廃駅。

②　札幌市内

〔地　名〕　〔所在市町村〕

〇　西区　平和

〔地名の由来〕

明治17年に山口県、同19年に福井県からの移民が平和第1に入植して開墾が始められ、平和第1～第3の集落が形成された。

昭和17年、手稲村の字名改正が行なわれた際、地域の平穏な発展を願って「平和」の行政地名が定められたと思われる。

昭和42年の札幌市との合併時に「手稲平和」になり、同56年に「平和」となった。

以上、北海道の地名の由来について触れたが、読者の皆さんがこの地域独特の地名に興味を持たれ、詳しく調べ知りたいときは、地名辞典、アイヌ語地名辞典なども出ているが、道内各市町村史の本のほか、これら各市役所・各町村役場ごと（札幌市は各区ごと）のホームページを見るのが、意外に近道である。

(3) 福井県人が団体移住した北海道の入植先の総括（屯田兵・漁業移民を除く）

先に述べたように、福井県人の北海道への単独移住の事例まで把握することは困難であるが、団体移住（集団移住、団結移住）であれば、手を尽せばかなりの実態を把握できる。

ちなみに、かつての開拓使や旧北海道庁も、団体移住であれば脱落者、離脱者を低めに抑えることができるという期待から、団体移住を推奨していた。

そこで、ここでは福井県からの団体移住の事例を、詳しく紹介していくこととしたい。その手法としては、これまで見て来た移民史の北海道側データと福井県側データを総合し、加えて、さらに筆者が独自に道内市町村史記載のデータなどで細かく調査した結果などを合わせて、左記のようにまとめてみた。

以下の記述は、要するに前述した屯田兵及び後述する漁業移民などを除く、いわば「一般団体移民の総括表」のような性格のものと受け止めていただきたい。

〔市町村別〕〔入植年〕〔団体等〕　（エピソードなど）

〔渡島〕

○　北斗市　安政６年　西本願寺

西本願寺派の僧・堀川乗経や檀家の国領平七らが中心となり、本山にはかつて幕府の箱館奉行所から上磯村（北斗市）に約55万坪の土地の付与を受けた。

そのうえで越前（福井）、加賀・能登（石川）、但馬（兵庫）から農民374人を募集して、濁川（にごりかわ）へ入植させた。この地はのちに一部落を形成して、開拓使時代には「清水村」と称した。

注・『北斗市史』によれば、この少し前（安政4年頃）にも、人数は不明だが、越前、但馬、能登・加賀、南部、津軽地方の門徒を招致し、濁川の開墾に当たらせた形跡がある。

○　八雲町　明治37年　福井　福井団体5戸がナンマツカ地区に入植した。
大正6年　福井　近藤角兵衛を代表とする福井県団体5戸18人が、セイヨウベツ地区に入植した。

〔後志〕

○　ニセコ町　明治23年　福井　詳細不明。
明治29年　団体名なし
福井県大野郡阪谷村（現大野市中心部の東方）字上内波33

番地出身の石川仁太郎は、明治29年8月頃、22歳のときに、現地の松岡農場から小作人の募集があり、これに応募して11月、家族7人とともに渡道した。

このとき彼らのほか一緒に渡道したのは、

①　阪谷村から大橋徳衛門ら3人

②　桜久保村から林岸右衛門ら3人

③　下内波村から勝谷市兵衛ら4人

④　巣原村から清水喜左衛門ら4人

がいた。また、彼らより1、2カ月前、

⑤　今立郡野坪村の中野安右衛門ら6人

が渡道していた。彼らの移住の背景には、明治28年の福井水害が関係していた模様。

また、ニセコ町には「福井」の地区名が残っている（郵便番号簿参照）。

明治33年　福井　福井県人・野村俊賢が、この年石狩川の水害で困窮していた被害者・中山助松、山本七太郎、山本乙松らと「福井団体」を組織。130万坪（現福井3・4班）の貸下げを受け、当時福井県出身者の多かった松岡農場を生活の基地として開墾にかかった。第一次の入植者に次いで橋本、岡部、幅石、石橋、吉田、久保市松、辻文圭、山本市松らが入地した。福井団体周辺の通称「百三十万」、「二十六戸」、「福井団体」の3集落は、昭和5年頃統合して、「福井部落」なった。

〔胆振〕

○千歳市　明治27年　福井

福井県吉田郡から千歳郡千歳原野に入植した（計画戸数60余戸。福井県側データ）。

千歳市側記録によれば、「越前移住者」と呼ばれた関喜左衛門（福井県吉田郡河合村出身）の率いる9戸が、この年ネシコシ地区に集団入植した。

経過をみると、当初は60余戸の団体移住の予定で明治26年に予定存置を出願し、翌27年に許可を得たのだが、非常な湿地で60余戸中27戸はすぐ志を捨て、あるいは郷里へ帰り、残余の25戸もまた躊躇（ちゅうちょ）して決しない様子があった。しかし、村吏の叱責や喜左衛門の説得もあり、25戸は貸付け地に入ったのだが、その後、離散が相次いだ。

明治27〜29年　福井

福井県今立郡から千歳郡千歳原野に入植した模様である（計画戸数33戸、福井県側データ）。

千歳市側記録によれば、福井県よりカマカ（釜加）地区に、明治27年に1人、同28年に1人が入植しているという。

〔石狩〕

○　札幌市西区　明治19年　福井　〔西区福井地区〕

明治19年、福井県から伊藤太治兵衛・佐々木善兵衛が入植した。その後、同30年までに13戸が入植した（ほとんどが福井県丹生郡出身者）。

昭和17年、手稲村の字名改正で「福井」（フクヰ）の行政地名が定められた。同42年の札幌市と手稲町の合併時に「手稲福井」、同56年「福井」と改称した。

参考〈西区平和地区〉

明治17年に山口県、同19年に福井県から移民が平和第一地区に入植して開墾が始められ、平和第1～第3の集落が形成された。

○札幌市清田区　明治20年　福井〈清田区北野地区〉

福井県丹生郡生まれの見上権太夫・石岡善三郎両人が、先に入植していた高木氏を頼り福井から入植、北野に住んだ。

同24年、やはり福井県から、佐々木吉五郎・吉田八百蔵両人が、翌25年には、林由太郎が入植した。

〔空知〕

○奈井江町　明治29～30年　福井

奈井江町の白山地区及び周辺に石川県及び福井県から42戸が集団移住した。

入植地は故郷石川、福井両県より眺望された白山の名をとり、「白山部落」と名付けられた。

なお、石川県移住者に関しては、霊峰・白山山麓の白滝での大洪水に被災したことが背景となっている（戸数については25戸説も）。

さらに明治31年、石川・福井両団体から多数の移住があり、部落の形態が整った。

その後も毎年2、3戸づつ入植者があった。郵便番号簿にも、奈井江町白山の地区名が残る。

○ 岩見沢市栗沢町　明治26年　福井（「越前開墾」）

主に福井県坂井郡から入植した模様である（計画戸数36戸。福井県側データ）。

岩見沢市のデータ（現地の記念碑の碑文等）によれば、明治26年5月、福井県人山口善五郎が団体長になり、有志とともに入地。190町歩の貸下げを受け、「越前開墾」と称した。

明治29、31〜33、35年　福井（「越前」）

岩見沢市のデータ（現地記念碑の碑文等）によれば、明治29年福井県人桜井関右衛門・山上文七両氏が入植開墾に着手したのが「越前」地区の始まりである。

続いて、明治31年から33年にかけて、西田庄次、堂本文太郎両氏ら十数戸が相次いで入植した。

明治35年には16戸75人が定住。郵便番号簿によると、岩見沢市栗沢町には「越前」地区が存在する。

○　南幌町　明治27～31年　福井（「大野開墾」）

福井県大野郡阪谷村から幌向原野に入植した（計画戸数16戸。福井県側データ）。

南幌町のデータにも記載があり、福井県大野郡上庄村（現大野市中心部の南東一帯）字中、広田要蔵の長男・広田甚太郎が明治22年渡道した。

同26年5月幌向村を視察した後、土地を得て、岩本文次ら同志13人と相談して移民団体を結成。自ら団体長となり、翌27年、この地に移住した。うち6戸は多田五郎兵衛が引率して前所に、他の7戸は広田とともに後所に入地した。明治28年3月、広田を頼って郷里から15戸が移住。翌29年に7戸、同30年、31年にも35戸、総計57戸が入植。一帯は「大野開墾」と称された。

なお、現在、南幌町南15線西11番地に「大野神社跡」があり、その由来によると、福井県出身者が多く入植した大野開墾地においては、明治30年4月、この地に八幡大神を祀り、毎年8月15日を例大祭としたという。

また、南幌町南17線西12番地に「幌向村立鶴城尋常小学校跡」（注・幌向村＝現南幌町）が残っているが、その由来によると、鶴城地域は開拓当初、「飛騨大野開拓地」として開拓されたが、明治30年には戸数１００戸を越え、児童数も１５０人に至った。地元民は教育施設を強く要望したので、福井県出身の広田甚太郎は自己所有地６００坪を小学校敷地として寄付し、小学校建設に奔走したという（明治32年開校。昭和8年廃校）。

○　長沼町　　明治23年　福井（厳密には団体移住ではない模様）

長沼町開基は明治20年とされるが、同23年、他府県出身者（埼玉・福島・京都・徳島・兵庫・福岡等）とともに、福井県人・杉田久左衛門外数人が北長沼に移住し、一部落を形成したという記録がある。

明治27、29年　福井

詳細は明らかではないが、福井団体が入植したようである（北海道編『新北海道史年表』北海道出版企画センター）。

○歌志内市　明治25年　福井

福井県人の東本弥五郎、小樽郡朝里村の折橋源平らが来住し、神威地区の土地貸付けを受け、北炭神威鉱の坑夫をしながら開墾に従事した。

明治32年　福井　詳細不明。

○上砂川町　明治32年　福井

明治20年、上砂川炭田が発見された後、同32年に福井県鶉（うずら）村（現福井市北西部の鶉地区）から来た山内甚之助ほか8人にて、この地に鍬が入れられたのが、上砂川町の発祥とされている。

この地は、その後の大正3年に、三井鉱山（株）が起業し、以来、炭鉱の町として発展。昭和24年、砂川町、歌志内町の一部を分割して「上砂川町」が誕生した。
上砂川町と福井市鶉地区の間では、現在も地域住民の交流が行なわれている。

〔上川〕

○愛別町　明治30、32年　福井

主に福井県大野郡から上川郡愛別原野に入植した（計画戸数31戸。福井県側データ）。
愛別町側のデータには、明治30年下（後半）に3戸13人（男10人、女3人）が移住したという記録がある。

○富良野市　大正元年頃　福井

富良野市の記録によると、大正元年の調査で、福井県から138戸・830人が移住したとされている。

○中富良野町　明治31年頃　福井

福井県吉田郡（明治30〜32年、計画戸数33戸）及び南条郡

杣山村（杣山。現南越前町。明治32〜33年。計画戸数35戸）から富良野原野に入植した（福井県側データ）。

北海道側のデータによれば、中富良野に入植した福井団体は、青山栄松が団体長となり、明治30年に33戸分の貸付許可を受け、同31年4月に一部入植した、となっているが、書類に捺印しても期日までに入植したのは大島新松、青山原七、野尻初太郎外数人で、予定の開墾が進まず、一時無効の指令を受けるなど、苦難の様子が『上富良野誌』に記載されている。

〔日高〕

○　新ひだか町三石　明治24年　福井

福井県大野郡から、三石郡歌笛村（現新ひだか町）に入植した（計画戸数不詳）。

歌笛には、故郷大野盆地にそびえる「亀山」によく似た丘や歌笛神社がある（福井県側データ）。

新ひだか町側資料によると、明治22年、福井県大野郡富田村（現大野市中心部の東北東）の林小右衛門、猪野毛治郎右衛門、長谷川吉兵衛が、浦河郡絵笛村から来て、この地を選定した。

翌23年4月に移住したのが、移住の鏑矢である。林は8月、道南の上磯郡へ行って勧誘につとめた結果、上磯郡知内村にいた林孫右衛門が移住を決意した。

明治24年歌笛村（谷地）を選定し、土地貸付許可を受けた。

同年、林孫右衛門、猪野毛房吉らがこの地へ移住。その後も郷里からの移民が増え、明治30年には100余戸・500人を超えた。

明治29年　福井

碧蕊地区の開拓は、この年福井県から竹内利兵エ、山本嘉造、村中伍作その他が相次いで入地。さらに翌30年、村瀬和作、村瀬辰之助、尾広乙吉、中村与惣右エ門らも入地した。

茂平地区方面の開拓も、明治29年、福井県大野郡富田村の中村太平、水上徳松、松山三作らの入地によってなされた。

和寒別（美野和）地区の開拓は、明治29年、歌笛に先人を頼って入地していた福井県大野郡の富田富次郎、辻川興太郎、土田勇助、土田彦八らが、明治31年小作農としてこの地に転住することになったのが創始だった。

〔留萌〕

○羽幌町　明治29年　福井

福井県大野郡猪野瀬村（現勝山市中心部の南方一帯）から苫前郡築別原野に入植した模様である（計画戸数33戸。福井県側データ）。

一方、羽幌町側データによると、明治29年以降、築別原野への移住が始まる。

福井県大野郡出身の長谷川甚右衛門が小作農場を開く目的で土地の予定存置を得、年内に郷里から33戸の小作農を移住させ開墾に着手した。

しかし、その後紛争が起きて長谷川は貸下げ地を返納し、各自があらためて貸付け地を得て開墾を進めた。

○　初山別村　明治29年　福井

オコタンベツ原野の殖民地区画測設が実施される前年の明治29年に、越前（福井県）の農民4戸がオコタンベツ（歌越別）に入植した（林長右衛門談）。

○　遠別町　明治30年　福井

明治30年、福井県南条郡神山村池の上と広瀬の両部落（現越前市池ノ上・広瀬地区）から、46戸が天塩郡遠別原野に集団入植した。

このとき、彼らは4月に敦賀港を出航し、小樽から船を乗り換えて初山別に向かい、そこから徒歩で北上し、21日に入植地に着いている。

入植者は故郷の地区の名を合わせて、「池広団体（団体長は水上嘉蔵）と名乗り、他県団体と区別するため「越前団体」とも呼ばれた。

食糧難や離脱者が出るなか、大多数の人びとは不屈の精神と骨身を削る努力により密林を沃野とし、明治33年、団体地全貸出下面積の開墾付与を受けた。

団体員の山本祖明は、曹洞宗説教所を創設（のちに遠別最初の寺院、現正法寺となる）した。

南山仁太郎は先ず福井県産の種子による苗植法で水稲の試作を行ない、これは宜しくなかったものの、2年後には上川産の種子で根付けし、かなりの収穫をあげた。

こうして明治36年、遠別最初の水稲成功者となり、現地（字共栄）に「水田発祥の碑」が建てられている。

彼に倣って各地域で水田熱が起こり、土功組合も設立され、大正時代の終わり頃には稲作を成功させた。

遠別の奥島地区は稲作北限の地として知られる。ただ、極端な重労働などのため、入地後5、6年間のうちに、23戸に減少した。

昭和30年12月末で団体員及び同系統者子孫は14戸で、団体員の直系として団体地内に残っている者は8戸となっているという。

なお、遠別町と福井県の越前市の住民は、現在も交流がある。

○　天塩町　　明治32年　福井

遠別の北、天塩郡天塩町の背後に広がるサラキシ原野（サロベツ原野?）と河口原野にも福井県からの入植があった。

現在は酪農が盛んだが、当時は稲作中心に村営の大農場を作るべく、旧大野郡野向村（現勝山市野向町）から団体で移住した。

野向村助役の武田与八郎が開拓監督となって小作人を募集し、天塩川河口に入植。ウブシ地区へも足羽郡上宇坂村（現福井市東部）からの移住があった。

○　幌延町　　明治32年　福井

福井県今立郡から天塩郡下サロベツ原野に入植した（計画戸数88戸。福井県側データ）。

幌延町側のデータによると、明治32年、下沼地区（下サロベツ原野の東端）に15戸の福井団体が移住したが1年を経ずして四散した（幌延最初の入植者）。

翌33年、福井県今立郡服間村（現越前市北東部）大谷第5号22番地出身の山田権左衛門が土地貸付を受けて入植し、数多くの小作人を入地させた（「山田農場」）。

明治40年　福井

中問寒地区に、福井県坂井郡細呂木村（現あわら市北東部）出身の坂井八左衛門が、4月12日に土地の貸付け許可を得て入地した。

〔十勝〕

○帯広市

明治30年　福井

福井県大野郡から中川郡札内・河西郡伏古原野に入植した（計画戸数41戸。明治30～32年。福井県側データ）。

一方、『池田町史』によれば、この年、23戸の越前団体が、十勝の大正村（帯広市南東部。成立当初は現帯広市南部から中札内村、更別村にかけての村）へ移住したとされ、背景には凶作や明治29年の九頭竜川の大洪水があるようだ。

明治30年　福井　〔帯広市幸福町〕

福井県大野市から帯広市幸福町（かつての幸震（こうしん）村字幸福

地区）へ集団移住があった。戸数は50戸ともいう。

この地区はアイヌ語の「サツナイ（乾いた川）からきた「幸震（さちない）」と呼ばれていたが、福井県移民が入ったところであったことから、「福」の字を合わせて「幸福」とされたという。

＊この付近にかつて「広尾線」の「幸福駅」があり、現在は広尾線が廃止されているが、駅自体は残されている。その縁起の良い名と昭和48年にテレビ放送された「新日本紀行」が大反響を呼び、一大観光スポットとなって、今も多くの人びとがこの駅を訪れている。

明治31年　越前団体

明治28、29年の北陸水害（足羽川の洪水）のため、福井県大野郡下味見村（現福井市東部）、上庄村（現大野市南東一帯）、北谷村（現勝山市北谷町）、平泉寺村（現勝山市平泉寺町）等から、帯広市の大正地区へ団体移住した。

注・帯広市についての記述に関しては、「中札内村」について記述した部分（後述参照）と重複している可能性が強いので、ご留意いただきたい。

○士幌町　明治30年　福井　詳細不明。

○新得町　明治33年　福井
明治33年4月（注・明治32年4月と書かれた文献もある）福井県人・徳橋清助が福井県から数戸を引き連れて上佐幌原野へ入地。のち、結束破れて大部分は他に転じ、留まる者は数戸に過ぎなかった(徳橋は丹生郡出身)。

○清水町　明治31年　福井
本町最初の移住者は、十勝開墾会社の募集移民で、明治31年4月、福井県人・四倉四六、小竹与次郎、石川県人・中尾喜作ら26戸99人だった（外に会社職員3戸）。

明治33年　福井　詳細不明。

明治38、40年　福井

福井県から明治38年度に4戸・24人、同40年度に2戸・7人が入地している。

○　芽室町　明治31年　福井　詳細不明。

○　中札内村　明治30年　福井

中札内村側データによると、明治30年福井県大野郡下味見村（現福井市東部）ほか4村（上庄村＝現大野市南東、遅羽（おそは）村＝現勝山市遅羽町、北谷村＝現勝山市北谷町、平泉寺村＝現勝山市平泉寺町）の団長：小森清太夫ほか41戸・100余人で組織された越前団体が、札内原野の幸震村、伏古原野に土地貸与を受けた。

しかし、土地選定に手間取り、帯広市街に到着した団体移住者のほとんどが晩成社(現静岡県賀茂郡松崎町出身の依田（よだ）勉蔵（べんぞう）が、明治13年に下帯広村（現帯広市）で組織した会社）農場の一時小作人となる。

6月、札内原野に小森、辻吉兵衛ら4戸が、小屋を作って入地した。1年目は7戸が入植（この地は札内川右岸で現在の帯広市昭和町）。翌明治31年に4戸、同32年7戸が入植したが、のち5戸が転出した。

このため、貸付地の伏古原野の全部と、札内原野の一部を返還した。

その後、開拓が進み、同郷人の来住も復活して、明治40年には戸数24戸となり、越前移住団の永住の地となった。

注・この項の内容は、中札内村データによっているが、前記「帯広市」の欄で記述した内容と重複している可能性が強く、本来、同市の項で記述すべき内容とも思われるので、この点にご留意いただきたい。

○　広尾町　　明治23年〜大正11年

広尾町側記録によれば、左記の間に28人・１４７人が福井県から移住している。

（内　訳）

年	戸数	人数
明治20～25年	2戸	4人
26～30年	3戸	13人
31～35年	11戸	57人
36～40年	3戸	17人
41～大正元年	4戸	23人
大正2～6年	3戸	25人
7～11年	2戸	

明治31年　福井

広尾町データによれば、明治31年4月、富久尾市太郎を団体長とする福井団体6人（6戸）が、ラッコベツ原野に移住した。

この原野は同31年に殖民区画され、福島・福井・会津団体移住民のために47戸が割り当てられていた。

また、福井県人・小林彦之助が明治30年、紋別地区において土地貸付けを受け、翌31年に小作人7戸を福井県から移住させたが、小作人が管理者の所為に不平を抱き、おおむね退去した。

明治44年　福井　詳細不明。

○池田町

明治29年　福井　①福井県足羽・丹生・坂井各郡から、青山奥左衛門をリーダーとする福井団体が、中川郡利別原野に入植した（計画戸数30戸＝福井県側データ。入植者数について複数説があり『池田町史』では27戸）。

現在も、池田町には青山奥左衛門にちなむ「青山」地区名が残る（郵便番号簿参照）。

青山は明治23年に札幌郡広島、島松（現北広島市）へ入植、のち下利別に来てからも稲作に努めて明治31年これに成功した。

彼らは池田農場や高島農場とは異なり、当初から5町歩を持つ自作農としての入植だった。

明治31年　福井

② 一方、この年、現池田町に旧鳥取藩主・池田仲博侯爵らが「池田農場」を開設して、小作人を福井県、鳥取県などから募集した。

これに応じ8月、福井県から11戸が先発、10月第2次としてさらに59戸286人（大部分が福井県坂井郡の出身者（浜四郷村＝現坂井市及び福井市の一部、大安寺村＝現坂井市の中心部の北西、木部村＝現坂井市北西　の出身者が多かった）が、この地に入植した。

背景には、明治28～29年の凶作、同29年の九頭竜川氾濫で坂井郡が被害を受けたことがある。

入植地は、現池田町下利別・現豊頃町牛種別とされる。

入植年は明治29～31年の模様。

この地で池田農場と並び立つ高島農場（経済人・高島右衛門の営む農場）が、石川・富山・福井・徳島各県より、

81戸の募移を行なった。

明治37年　福井

池田町側資料によれば、この年の福井県からの来住状況は、農業7人、不詳人、計9人と記されている。

○本別町　明治31年　福井

この年3月、函館農場の募集移民として福井県大野郡、岐阜県郡上郡から32戸、翌32年に上磯郡から6戸、33年には福井、岐阜各県から20戸、宮城県から34戸、その後は道内から60戸余りが入地したという。

注・函館農場は、亀田郡亀田村の守田岩雄（新潟県出身）ら3人組合が畑目的で出願し、約238万坪（約790㌶）余の貸付を受けて開いた農場である。

〔釧路〕

○鶴居村　明治35年　福井

鶴居村は釧路アイヌ27戸の移住が創始といわれるが、集団で開拓をみたのは明治35年6月の青山奥左衛門（福井県出身者）らの入植からとされる。

青山は明治27年渡道。以来、札幌郡広島、島松を拓き、さらに同29年、十勝利別川流域に入り成功した。

同34年、釧路支庁長・赤壁二郎から釧路原野の開拓を説得され、これに応じて3人名義でこの地に80戸分400町歩を出願した。

その許可を得ると、明治35年6月、福井・福島・岩手各県から移民20余戸を募集・入植させた。

以来この地を「青山農場」と称した。

注・青山が明治35年に下久箸呂を踏査、翌明治36年に入植したと記する文献もある。

〔参考〕

以上は前記のとおり、入植先で福井県・道内双方のデータを総合することを主な目的として記述した（ただし屯田兵の入植先（屯田兵村）は除く）。即ち、入植先箇所は北海道側の調べ（『北海道開拓の村解説シート「移住」12』、道内各市町村史等）のほか、福井県側調（福井県立歴史博物館資料＝「記録に残る主な団体移住」）、その他、災害に絡む移民については、『災害を契機とした北海道への移住事例』（平成26年6月13日　北大国土保全学研究室（大学院農学研究院）などを参考にしてまとめた。

六　福井県からの漁業移民史

出稼ぎ漁業者の北海道への進出

個人的に北海道各地へ移住して行く一例に、出稼ぎ漁夫(やんしゅう)たちがいた。秋田、青森両県人が多かったが、彼らは毎年2月頃になって、道内各地にあった鰊場(にしんば)へ出稼ぎに出かける。大抵仲間同士で集まって行ったのだが、決まった団体を結成したわけではなく、ある期間同じ鰊場で仕事をし、終わると各自が自由に道内の林業や農業を手伝いに行く。

ちなみに、鰊は毎年秋から冬になって千島列島から南下して行き、早春になると日本列島の日本海沿岸を還流にのって北上し始め、産卵する習性を持っている。

北日本海側の松前、江差、寿都、岩内などの各地は、2月中旬から3月下旬までが、漁獲期になっていた。

その場所が終わって、鰊は積丹半島を大きく迂回して北側の古平、余市へと順次接岸して産卵し、西北沿岸に到着するのが5月頃であった。

漁夫（やんしゅう）たちは各地の漁場で仕事を終えて、食事や酒代など諸費用を清算して資金を受け取り、故郷へ帰って行く者もいたし、そのまま道内に残って森林地帯へ出かけ木こり（樵）の仕事をする者もいた。

また、農家に行ってデメン（日雇い労働者）として農耕に従事する者もいた。各地の開拓農家は毎年のことなので、彼らが来るのを予定に入れて多忙な耕作期の人の割り当てを作っていた。

彼らは単身でデメンに行くこともあったし、夫婦子供たちを伴って行く者もいた。春の耕作時期から秋の収穫期まで半年以上の長期間を、農家の納屋で生活するのだから、日雇い労働者というより季節労働者といった方がいいかも知れない。

それぞれの農村に一軒か二軒「よろず屋」の店舗が必ずあった。彼らは各農家を通じて掛け売りの通帖を預け、秋に帰郷するとき清算するほど信用されていた。

数年間もこういう生活を続けていると、その土地の気候、風土にも馴れ、農村の習慣を身につけていくに従い、自分の故郷に帰ってもいつか疎遠になる。これであれば、いっそ道内に永住した方がよい、と思うようになる。

永住の方法は、小作に入るのが最も近道だが、今まで蓄えた資金に、出稼ぎ先の農家に保証人になってもらい、2、3町歩の耕地を買い入れて自由農民になるか、いずれにせよ道内に住みついた方が、将来、有望だろうと思うようになる。

特に、東北地方を故郷としている人びとが、各地に点在している経過は、こうしたケースが多く、明治末期から大正時代にかけて頻繁にこの方法で移住したのである。

福井県からの出稼ぎ漁業者の進出

福井県人の北海道移民史のうち、農民や商業関係者以外の「出稼ぎ漁業者」の北海道進出、つまり一般農民とか商工関係者以外の漁業者移民について書かれた文献・資料は、ほとんど見当たらない。

それで探しているうちに、『福井県史』通史編「第3章明治期の産業・経済　第一節農林水産業の発展　５水産業の発展　出稼ぎ漁業・移住漁業」に、そのことが触れられていることを見つけた。

以下は主にこの貴重な資料をもとに、若干の他の諸文献などの情報を加えて、書き記したものである。

明治10年代から大正期にかけて、越前（福井県）漁民による北海道への出稼ぎ漁業が、盛んに行なわれた。

もともと福井県は、出稼ぎが盛んな土地柄で、漁民に限らず農民などの出稼ぎなどもあった。やや後年になるが、昭和３年（１９２８）の出稼者数が、同県副業組合連合会が把握しただけでも、男子１万・女子６、５００人の計１万６、５００人余りに達している

これは、当時の福井県現住人口のほぼ３パーセントに当たる数だった。参考までに、これを郡別にみると、南条郡が最も多く、現住人口の約８・５パーセントに当たる３、７００人余りを数えた。

次いで、坂井・大野・今立各郡が多く、人口比でみれば、嶺南の三方郡も出稼ぎの盛んな地域であったといえる。

次に出稼ぎ先を見ると、全体の65パーセント強に当たる１万１、０００余人が県外を、残り５、

３００余人が県内を就職先にしていた。

県外の場合は、京都・大阪・東京・愛知・北海道の順に多かった。職種については、詳細は明らかではないが、男子の場合は「日稼」が最も多く、次いで「下男」、「漁夫」、「職工」、「酒造」、「店員」、「会社員」の順だった。

特に北海道の場合は、男子の漁夫がその大半を占めていた。

一方、女子の場合は、製糸・紡績関係が圧倒的に多く、「下女」、「日稼」がこれに次いだ。

また、出稼ぎの年齢は、16歳から20歳と、21歳から30歳の層が同じ程度に多く、両者で全体の7割を占めていた。

ちなみに、彼らの稼いだ金額は、総計４２０万円余りに達し、うち１６０万円ほどが、郷里へ送金できる額ととらえられていた（『福井県の副業』）。

なお、嶺南の三方郡などは異色の形態を示しており、北米、南米などへの海外移住が盛んな地域であった。昭和7年（１９３２）の福井県の調査では、同県出身の海外移住者は１、５００人余りだが、郡別では三方郡が約４割を占めている。

ところで、明治24年（1891）の『水産事項特別調査』によれば、福井県からの出稼ぎ船数は58艘であり、大半は北海道沿岸への出漁だった。

福井県坂井・丹生両郡の漁民は、春期には北海道・渡島半島の江差から小樽・道北地方の宗谷・利尻島などの日本海沿岸で行なうニシン漁、夏期には後志・函館地方などで行なうイカ漁、冬期には釧路地方で行なう昆布採取・後志地方で行なうタラ漁に従事していた。

そして、明治36年には坂井郡88人、丹生郡318人が北海道でのニシン刺網・建網漁に漁夫として雇われており、また坂井郡22艘60人、丹生郡36艘64人がイカ漁に出漁している（『福井北日本新聞』明治37年6月3日付け）。

明治中期のイカ釣り漁は、主に函館沿海で行なわれており、北海道外の漁船が多く出漁していた。

「明治29年函館烏賊釣漁調」によれば、北陸方面から多数のイカ釣船が函館で操業しており、その中で一番多いのが、越前（福井県）からの出漁で、68艘643人にのぼる。

これは、北海道外からの出稼ぎ漁船の四分の一強に当たる。川崎船と呼ばれた11、12人乗りの大型和船で、春に函館に到り、秋のイカ釣漁期の終了後、越前に帰る、という操業形態がとられていた（『函館市史』）。

出稼ぎののち定着する者、または漁業移民の増加

出稼ぎののち、漁民として北海道に定着する者、あるいは漁業移民として北海道へ渡る越前出身者も、数多くいた。

明治25年から同34年までの10年間における福井県出身者の年平均漁業移住者は、732人である。

この数は、青森・石川・秋田各県などに次いで第6位に当たるのだ（「北陸三県および新潟から北海道漁業地域への移住・定着について」『北海道漁業研究』12）。

・越前（福井県）出身者が、漁業移住者としてまとまって漁場開拓に従事した移住先事例としては、「岩内町」がある。

岩内町へは、明治15年（1885）頃から越前からの漁業移住が始まった。

ちなみに、『岩内町史』の「明治時代の鱈・スケソ釣親方人名」には、「越前衆」として53人の名前が記載されている。

庄内（山形県）・越後（新潟県）・越中（富山県）・津軽（青森県）・能登（石川県）出身者が、合わせて22人であることを考えると、「越前衆」の多さが目立っているのだ。

彼らの多くは、丹生郡国見村鮎川（現福井市鮎川町）からの移住者だった。岩内のタラ・スケソウ延縄漁業の隆盛を担ったのは越前出身者だった、と言っても過言ではない。

・一方、北海道・道北の「利尻島」に移住した漁民は、坂井郡出身者が多かった。

明治25年の利尻島移住戸数１６４戸のうち、福井県からの移住戸数は20戸（坂井郡12戸）で、北海道本土、青森県に次いで多かった。

また、明治29年の利尻鬼脇（おにわき）・石崎・仙法志（せんぽうし）村への移住戸数１６９戸のうち、福井県からの移住戸数は16戸（坂井郡14戸）となっており、北海道本土、青森県に次ぐ数である（「離島社会の形成過程について（二）」『北海道開拓記念館調査報告』）。

今ではなかなか想像できないが、遠く離れた利尻島と福井県は、こうした深い縁で結ばれているのである。

漁場持になった人びと

北海道庁が所蔵する「免許漁業原簿」によれば、「出稼ぎ」、「移住」という形態での北海道漁業進出以外に、漁業権を獲得して「漁場持」になった人たちもいた。

・漁業法（旧漁業法。明治34年成立）の施行と同時に、福井県人がニシン定置漁業権を取得したのは、北海道の「宗谷郡」においてであった。

大野郡下庄村の前田五郎が3カ統、苫前郡で坂井郡細呂木村の坂井新右衛門が3カ統、枝幸郡で坂井郡雄島村（現坂井市北西端の日本海沿岸）の高山由太郎が7カ統、同村の毛海幸吉が1カ統、利尻郡で坂井郡雄島村の大家善太郎が4カ統、同村の大針エンが1カ統、坂井郡北潟村（現あわら市北部）の坪田伊三郎が1カ統である。

その後、明治末までに、苫前郡で坂井郡雄島村の中奥彦太郎がイワシ定置漁業権を3カ統、枝幸郡で高山由太郎がカレイ定置漁業権を2カ統、利尻郡で大針エンがニシン定置漁業権を1カ統、坪田伊三郎が同漁業権を1カ統、新たに免許を獲得し、大家善太郎は3カ統のニシン漁場賃借権を得ている。

・大正10年代の利尻郡で、新たな免許あるいは売買・賃借でニシン定置漁業権を獲得したのは、坂井郡雄島村滝野善六・芳男が13カ統、大家善太郎が2カ統、大針エンが1カ統、坪田伊三郎が2カ統、坂井郡大関村（現坂井市北部）友田伊右衛門が1カ統である。

このように、道北で定置漁業権を保有していた福井県人には、同県の坂井郡、なかでも雄島村の人びとが多い。

漁業権者となった雄島村の人びとは、恐らく北前船主・船頭か、あるいはその関係者だと考えられる。北前船のもたらした利益と情報・人間関係をもとに、彼らは漁場を手に入れたのだろう。

このほか、利尻島在住の福井県出身者が、ニシン定置漁業権4カ統を手に入れる際、敦賀の大和田荘七が4万円を融資し、抵当権を設定しているのが、注目される。

岩内への漁民移住の原因

『岩内町史』には、岩内へ越前漁民が初めて移住した原因を、「明治十二年頃、越前地方の凶作凶漁で、住民が困窮の極に達し」たことにある、と記されている。

越前沿海の漁場の狭隘（きょうあい）さ、当時の漁法・漁船では、1年のうち2、3カ月操業不能で、収入が途絶する生活困窮があったことを背景に、出稼ぎ漁業・漁民移住が行なわれた。

そして、明治20年代のニシン漁業の隆盛が、越前漁民を地縁・血縁を頼りに、北海道へと駆り立てる大きな原因になったと推測できる。また、イカ釣漁などの出稼ぎ漁業を経て、北海道に定着したケースも、数多く見られたと考えられる。

その後の動向など

明治30年代後半から、福井県でも朝鮮海域への出漁が始まる。沖合漁業奨励のために、県費で建造した改良漁船を漁業者に貸与し、明治37、38年度に朝鮮海域での操業試験を行なっている。

その結果、この操業試験が有望であると認め、福井県は明治39年、「遠洋漁業奨励金下付規定」を制定。同海域への出漁船に補助金を下付することとした。

明治41年(1908)には「日韓漁業協定」が結ばれ、朝鮮沿岸全海域で日本人による操業が可能になったことと、この協定と同時に発布・実施された韓国漁業法によって、日本人にも朝鮮人同様の漁業権を獲得できるようになったことと相まって、坂井・丹生・南条郡からも同海域への出漁船が増加した(『朝鮮水産開発史』)。

補稿…南弥太郎家の北海道進出

北海道立文書館に、「南弥太郎家文書」が保管されている。

この南弥太郎という人物は、道内外でも余り知られていないと思うので、厳密な意味では漁業移民史の並びで扱うのはどうかとも思うが、この項で概略を説明・紹介しておきたい。

福井県の越前海岸に近い南条郡河野村（現南越前町）に、わが国屈指の北前船主で豪商の右近家が拠点を構えて活動していた。

初代・南弥太郎は、ここの9代目当主・右近権左衛門の庶子として、万延元年（1860）河野村に生まれた。

その後の彼は、南養七の養子となり、1880年代に北前船の船頭として小樽、余市に来航し、明治14年（1894）からは右近家の代理として小樽・高島などで漁業経営に着手した。

その後、高島村（現小樽市高島）に居を定め、ニシン・サケの定置網漁、カレイ（鰈）手繰網漁、タラ釣漁兼製造業、ホタテ漁、ニシン刺網漁などを営んだ。

以降、戦後に至るまで南家3代が小樽・高島で漁業を営んだが、この間の大正7年（1918）には伊部仲治らと合資会社・高島共益組を創立した。また昭和11年（1936）には忍路村の須摩太吉とイワシ定置網の共同経営に着手した。

前記文書館の資料は、初代南弥太郎が北前船の船頭をしていた時期の文書、南家漁場文書、高島共益文書、南共同漁場文書に大別される。

注・南弥太郎についての詳細は、第二章十⒀で後述する。

七　北海道移民を出した福井県内における郡別特徴

中村英重著『北海道移住の特質と移住動態』という論文によれば、北海道移民を出した福井県内の郡別状況に、次のような特徴があるとされている。

① 福井県の場合、上位・下位の3郡をあげると、次のとおりである。
（移住者数は、明治33年～44年、大正4年～昭和4年の合計）。

丹生郡	11、101人	大飯郡	3人
大野郡	11、051人	遠敷郡	187人
坂井郡	8、917人	敦賀郡	198人

② 福井県は明治30、31年に年間6、000人以上の北海道移住者を出し、全国でも3番目の順位であり、明治38年までは移住者が全国の都府県中、10番目以内に入るほどの上位の県であった。

福井県内でも、丹生・大野郡が最大の送り出し地域で、27年間に1万人以上の移住者を出していたのだ。

③　ところが、同じ県内でも大飯郡はわずか3人という、まったく微々たる数値であった。次に少ない遠敷・敦賀郡も、２００人以下である。なぜ、このような極端な格差が生じるのか。

④　上位3郡は県内の区分でいえば、嶺北（旧越前）に属し、下位3郡は嶺南（旧若狭）に属していた。

嶺北でも上位3郡は、菜種、大麻、タバコ、茶などの商品・特用作物の栽培、養蚕などの副業が盛んな地域だった。これらが不況や地場産業の衰退、輸入物の増加により打撃を受け、農業経営が成り立たなくなったことが、移住者の多い原因だと思われる。

⑤　また、丹生・坂井各郡は海岸部にあり、近世以来、北前船を通じて北海道との交流があり、大野郡も大野藩が幕末に北海道・樺太開拓を行なっていた。北海道との関係、親近感が移住促進の背景となっていたことも考えられる。

⑥　逆に、下位3郡は桑栽培のほか顕著な商品・特用作物の栽培が見られず、農民への影響が少なく、北海道移住も盛んでなかったと考えられる。

ただ、その分、海外移民が多かったようだ。

注・このほか、前述「五　⑶福井県人がの団体移住した北海道の入植先の総括（屯田兵・漁業移民を除く）」によれば、九頭竜川など河川による水害被災や、凶作が大きく影響していることはほぼ間違いない。

また、福井県の織物産業の勃興・発展の歴史も、その影響が大きいと思われる。

八　福井県人の北海道移住と同県の繊維産業勃興との関わり

⑴ 福井県人の北海道移住のおおまかな傾向

①　先に触れたように、全体としていえば福井県は、明治25年（1892）～大正9年（1920）の間、ほぼコンスタントに年間2、000人以上の北海道移民を輩出していた（うち明治26年（1893）～明治34年（1901）、明治40年（1907）～明治41年（1908）には、年間3、000人以上を輩出）。しかし、大正10年（1921）以降は1、

000人台、昭和3年（1928）以降は3ケタ台に減少している。

② 一方、北陸4県の北海道移住の戸数・順位別の傾向をみていくと、次のように推移していた（順位は全国における順位である）。

第1期（明治27～31年）

石川県　8、695戸　1位
富山県　7、351戸　2位
新潟県　6、756戸　3位
福井県　5、629戸　5位

第2期（明治38～42年）

石川県　6、846戸　4位
富山県　9、126戸　1位
新潟県　8、419戸　2位
福井県　4、121戸　10位

第3期（大正4～8年）

石川県　5、473戸　9位

富山県　6、370戸　8位
新潟県　9、223戸　4位
福井県　2、752戸　12位

以上のように、移住者戸数の増加・減少がともに早い福井、石川両県と、3期まで減少を示さない新潟県、その中間の富山県に分かれている。

注・高倉新一郎編『新しい道史』第4巻第6号を参考にした。

(2) 福井県の繊維産業の勃興・発展の歴史

前記(1)に留意しつつ、繊維産業の歴史のトピックを調べた結果は、おおむね次のとおりである。

明治4年（1871）由利公正が欧米を視察、絹布見本を持ち帰ったことが福井県の「繊維産業近代化の端緒」とされる。

10年（1877）後半、群馬県の桐生・足利から、羽二重を米国へ輸出。

20年（1887）桐生の機業に精通した高力直寛を招聘、彼が羽二重製織技術を指

（明治）中頃　　導。

28年（1895）羽二重製織工場が3、000を突破。

35年（1902）福井県工業試験場設立。

30年代半ば　　桐生を追い抜き、わが国最大の羽二重生産地に。

30年代末～大正期（1912～）設備近代化進む。バッタン機から力織機の導入（電力利用）へ転換。生産品種の多様化、高度化へ～高級織物の時代へ。

大正3年（1914）第一次大戦～輸出絹織物産業が空前のブームに（戦後、反動も）。その一方、人造絹糸が国産化され、人絹織物の生産量が拡大。

昭和期（1926～）人絹糸の生産本格化～絹織物から人絹織物への転換が飛躍的に進む。

昭和10年（1935）前後、約1万台の織機増設。

15年（1940）企業数2、873件、織機台数9万2、253台、織物生産量6億7、440平方ヤードに。内外に「人絹王国福井」名をとどろかす。

こうしてみると、東北地方に次いで北海道移民が多い北陸地方の各県の中でも、福井県は独特の流れを示し、繊維産業の勃興・発展により農家の次男・三男の北海道流失に歯止めがかかり、北海道移民の数が急激に減っていったのではないか、という筆者の推測は、大筋において正しいのではないかと思われる。

(3) 津村節子の小説「絹扇」

明治21年(1889)、福井県春江村(現坂井市春江町)に生まれた中村ちよの父親は、全財産を売って機織り産業に乗り出す。7歳からちよは、家内工業の貴重な戦力だった小学校にも行けず、幼い妹を背負いながら、家業から賄いまで懸命に働く。18歳になったとき縁談が舞い込み、幸せな生活が送れていたが…。

福井市生まれの芥川賞作家・津村節子の小説『絹扇』には、ちよの波乱万丈の人生、福井県の絹織物の歴史が詳しく描かれている。例えば文中に、

「大正2年、福井県の絹織物生産額は、創始以来最高額をあげた。力織機への転換が早かった春江の機業は、好況が続いていた。」

「織り子たちは骨惜しみすることなく、よく働いた」

「（大正6年頃）輸出向変り織物は、福井市や他の郡を抜いて、坂井郡が首位であった。春江村一村の絹織物生産がもたらす利益は、1年間で約300万円になり、それは大正6年の県の歳出約200万円の1・5倍にもあたる額であった」

などという、具体的な記述がある。

九　北海道移民の暮らし

ここでは、福井県からの移民に限った話ではないのだが、北海道移民一般に共通する話題として、開拓当時の暮らしぶりの一端を紹介してみたい。

筆者としては、ここまで書き進めてきた移民史の「ソフトな部分を補充する」「奥行きを深める」必要性のようなものを感じて、限られた紙面ではあるが、あえてこの項を書き加えたしだいである。

(1) 開拓地の食生活

屯田兵や移民会社、大農場による召募に応じて北海道へ団体移住する場合は、十分ではないにしても、入植後の一定期間、米や雑穀が支給されることがあった。

しかし、その他の移住―単独移住など大部分の移住者は、こうした恩恵に浴することはなかった。基本的に他人を頼れず、すべてを自力でやるしかなかったということだ。

開墾は自分らの食料とする作物を植えることに始まり、稗、粟、麦、蕎麦など荒れ地に強い作物を植え、秋にわずかな収穫を得たとしても、翌年の種子分も残らないような有様だった。そのため、ゼンマイ、ワラビ、ウドなどの山菜や、近くで獲った川魚などで飢えを凌ぐことが必要だった。

また、食器や炊事用具も少なく、当時の移住案内から見ると、鉄鍋大小各1、飯椀5個、汁椀5個、鉄瓶1、手桶1といったものだが、これすら揃えられない家庭が多かった。

食生活にも見るべきものがなく、味付けも塩だけというようなことも少なくなかったようだ。また、貧しい食事だったので、病気で死亡する者も多かった。

農作物の収穫がいくらか増えても、農具や衣類を買うお金も必要であり、換金できる豆類などを売らなければならず、手元にはあいかわらず雑穀などが残るだけだった。したがって、開拓地の農村では、石臼やこね鉢など雑穀や粉食の調理具が、食生活用具の中心になっていたという（これらの用具さえも商店から購入できることは少なく、石臼を無尽講でようやく手に入れたり、付近の木を倒して鉢を作ったりしたようだ）。

このような食生活も、開拓が進むにつれて徐々に改善され、米を食べる比率が増えていく。調味料も、はじめは塩だけだったのが、大豆の収穫によって味噌が作られるようになり、交通運輸の発達によって内陸の農村にも魚などが入手できるようになる。

全般的にみて、いくらか農村の食生活が良くなるのは、北海道の農村でも稲作が本格的に行なわれた明治後期頃からなのである。

⑵ 住　生　活

開拓使は生活改善を考え、欧米にならって石やレンガで家を建て、ストーブをつけることを奨励した。

しかし、学校や官庁の建物はともかく、一般に普及するまでには至らず、寒冷地である内陸の開拓地においても、あいかわらず開放的な和風の家屋が建てられていった。

しかも開拓地では、屯田兵のように、入植後に住む家屋が用意されている場合はごく稀で、大抵は入植と同時に自分の家を建てなければならなかった。

明治29年（1896）刊のガイドブック『北海道移民必携』には、

「3・4月のころは雪が消えていないので、手近な木材を切って三角形に組み合わせて、むしろで囲って風や雪をしのぐ。だんだんと雪が消えたら、枯れ草を刈り、木を切り倒して小屋の四隅に丸太を埋め立てる。周りや天井に細い木をちょうどよく取り付けて、ササやカヤなどの草で屋根をふき、周りを囲う」（意訳）とある。

移住者たちは、付近に生えている樹木やその枝などで「拝み小屋」と呼ばれる一時雨露を凌ぐ小屋を作った。その後、「着手小屋」とか「開墾小屋」と呼ばれる小屋を建てたが、これにしても、直径20〜30センチぐらいの丸太をそのまま土に埋めて柱とし、これを中心に木の枝などの細木で家組を作り、屋根や壁はクマザサやカヤを用いた、ごく粗末なものだった。

家の中は1棟1室で、入り口に近いところ3分の1ぐらいは土間で、残りに枯れ草などを敷き、その上にむしろを並べる程度だった。部屋の中央には炉が切ってあり、薪を燃やして炊事をしたが、煙が部屋に充満するという有様だった。

入り口はむしろを下げただけ。雨が降れば雨が、月夜には月の光が漏れる。冬の夜には風が吹き込むので、ふとんにもぐりこんで寝ると、ふとんの上に吹き込んだ雪が積もる、という厳しい暮らしも多かった。

話が横道にそれるが、筆者は昭和23年当時、5歳のときに、福井県坂井市の実家にいて福井地震（約3、700人が死亡したと記憶している）に遭遇。突然に家屋が全壊してしまい、それからしばらくの間は家族ともども自前で建てた掘っ立て小屋生活を経験した。

その経験からして、未開の原野、それも寒冷地北海道に、家族ともどもごく限られた衣料・食料その他の生活用具しか持たないで、徒歩主体で入植した移民たちのことを思うと、その心境がいくらかは理解できる気がしている。

ともあれ、開拓が進むにつれてこのような状況もしだいに改善され、故郷の様式に従った和風の家屋を建てる者が多かったが、こうした家屋は防寒性に乏しく、土地に適したものとは言えなかった。

だが、その後、しだいに寒さに対する工夫も見られるようになり、トタン屋根、ガラス窓、ストーブの比較的早い普及などが、北海道の住まいの特徴となっている。

(3) 教育のあゆみ

入植直後の北海道の開拓地でも、移民たちは総じて子弟の教育には熱心で、村がつくられると先ず、学校が建てられた。

寒い冬の日にも。子供たちは胸までつかえるような雪をこいで学校に通った。

ただし、詳しくいえば、道内でも比較的早くから開けていた松前地には、江戸時代から藩校や寺子屋などの私塾があった。また、明治5年(1872)には学制が発布され、学校教育が行われるようになった。

北海道でも開拓使に「学務局」が置かれ、明治8年(1875)頃から札幌、函館、小樽などの都市部を中心に、しだいに小学校が建てられるようになった。

しかし、開拓当時の農漁村では人口も少なく、社会状態も安定していなかったことから、他の府県と比較すると、学校の設立が遅れた地方が多かった。特に開拓地では学校の設立に関して変則的な形をとることが多く、初めの頃はわずかの生徒を集め、粗末な草葺きの家を校舎とした簡易教育所による教育が多かったようだ。ある古老の話によると、「開校当時の校舎は茅葺き掘っ立て小屋の茅垣、土間という校舎で、その広さ25平方メートルくらいの中央に大きな炉を造り、机といえば杭を立ててその上に板を打ち付け、動かないようにしたもの、腰掛けもその机に合った同じ仕掛けのもので、炉には暖をとるため薪を焚くという教室だった。教科科目は修身、読み方、書き方、算数だけ。ノートもなければ鉛筆もなかった」（五十嵐重義箸『鍬と斧』）

という状態が長く続いたのだ。

また、農漁村では家族全員が仕事に従事しなければならず、赤ん坊の子守りは子供の仕事とされていた。子供たちは弟や妹をおぶって学校へ通い、赤ん坊をあやしながら勉強していた。このことを、〝子守り学級〟などといっていた。

しかし、開拓が進むにつれて生徒数も増え、しだいに整備されていく。大正期から昭和初期になると、村で一番大きく立派な建物は学校だといわれるようになった。

この頃になると、運動会、学芸会など学校の行事が、村全体の行事となるまでに成長し、運動会の前日には、父兄が良い席を取り合うような華やかな行事となったようだ。

(4) 駅逓所の存在

「駅逓（えきてい）」（旧字体は驛遞）とは、人口希薄で交通不便な蝦夷地（北海道）の宿泊や運送・通信などの利便を図るため、江戸時代から設けられていた制度である。幕府により人馬を備えた駅舎が設けられ、和人地では村方役人や場所請負人が業務に当たっていた。

明治時代の初め頃には「運上屋（うんじょうや）」・「会所（かいしょ）」・「通行屋（つうこうや）」・「旅宿所（りょしゅくしょ）」などと称された駅逓業務扱い所は、道内全体で126カ所あったという。

明治2年（1869）に場所請負制が廃止されたとき、開拓使は運上屋・会所を「本陣（ほんじん）」と改称し、駅逓業務を開拓使に直結させた。

同5年、本州では本陣の制度が廃止されたが、北海道では本陣は「駅場」、さらには「駅逓扱所」、「駅逓所」と称され、北海道独自の「駅逓制度」が整備されていく。

明治15年（1882）、開拓使が廃止されたときには、道内に112カ所もの駅逓所が整備されていたというが、一般に道南地方や全道の海岸線に片寄り、その他の内陸地方などには比較的希薄だったと思われる。

その後、同28年の官設駅逓取扱規程、同33年の駅逓所規程などによって、辺地の交通・通信補助機関としての官設駅逓所制度が成立されていった。

基本的に1郡に1駅があって、隣の駅逓所との距離は4里から5里、だいたい十数キロといったところだったという。駅逓所は、開拓の進展に合わせて新設・廃止されていったのだが、ピーク時には道内に約600カ所余が置かれたという。

全廃されたのは、昭和22年（1947）のことである。

要するに、駅逓所は明治期から昭和初期まで、辺地の交通補助機関として旅する人びとの宿泊・人馬継立・貨物の運送や郵便の取扱いなどのサービス業務を担って来たのであり、その運営者は駅逓取扱人（半官半民・請負制）であった。駅逓所には馬が数頭常備されて、人足も数人いて次の駅逓所まで送り届けてくれた。

こうしてみてくると、駅逓所が、これから家族たちを伴って奥地―特に内陸地方へ入植しようとしている移民たちにとって、どれほど助かる存在であっただろうか…。

筆者がこのことを強く感じたのは、高畑利宜（としよし）（1841〜1922、京都生まれ）という人物の存在を知ってからである。

利宜は、開拓使・会計検査院・北海道庁などに出仕して活躍、とりわけ上川開発や上川道路の建設などには、目覚ましい貢献をした人である。

しかし、利宜はこれだけにとどまらず、この地方に入植していく移民たちの便宜を図ろうと考え、かつこれを実践したのだった。具体的には、官吏を退いて民間人に転身、滝川に拠点をおいて活動しながら、岩見沢（岩見沢市）・奈井江（奈井江町）・空知太（滝川市）・音江法華（深川市）・忠別太（旭川市）の5カ所に駅逓所を開設して、その責任者となる。

今では想像が難しいくらい人口希薄だった上川方面などへ、家族を伴い入植していく移民たちは、未知の原野に対する不安感などにさいなまれながら、やって来たことだろう。その彼らが、利宜の経営する駅逓所に宿泊し、食事を提供してもらい、ときに馬を借り、そして何よりも彼の口から入植地に関する詳しい知識・情報を教えてもらうことができた。このことで、どれほど不安を和らげられ、かつ勇気づけられたことだろうか…。

道央では、北広島市に残る「島松駅逓所」跡もよく知られているが、この駅逓所は、かつてこの辺りの篤農家で寒地稲作の先駆者でもあった中山久蔵（1828〜1919、大阪府出身）の旧宅でもあったところだ。

現在のような鉄道路線や道路網、そして交通機関が未発達だった開拓時代にあっては、駅逓所は実に大きな役割を果たし、移民たちにとって頼りになった貴重な存在だったのである。

注・本項は、主に『北の暮らし』（北海道開拓記念館＝現北海道博物館　常設展示解説書6、1978）、佐藤一夫『北に描いた浪漫―先駆者・高畑利宜とその時代』（北海道出版企画センター、1990年）などを参考にして記述した。

十　福井県人移民にまつわるこぼれ話・ドラマ

本項では、福井県からの北海道移民に関し、特に興味深い話題をいくつか拾って紹介したい。

(1) 北陸地方でも特異な傾向を示す福井県人の北海道移民史

筆者は前述したように、平成26年（2014）に『歴史探訪　北海道移民史を知る！』（北海道出版企画センター）を出版した（令和元年＝2019年再版）。その際にも感じたことだが、北海道移民史を調べていくと、①東北地方、②北陸地方、③四国地方からの順で、多く移民が出ていることがわかった。

次に、北陸地方の中でも福井県は、他の3県（新潟・富山・石川各県）とは、やや異なった傾向を示していることもわかった。

ちなみに、各都府県別北海道移民戸数の変化を調べてみると、

① 第1期（明治27〜31年） 1位石川県（8、695戸） 2位富山県（7、351戸）
　　　　　　　　　　　　 3位新潟県（6、756戸） 5位福井県（5、629戸）
② 第2期（明治38〜42年） 1位富山県（9、126戸） 2位新潟県（8、419戸）
　　　　　　　　　　　　 4位石川県（6、846戸） 10位福井県（4、121戸）
③ 第3期（大正4〜8年） 4位新潟県（9、223戸） 8位富山県（6、370戸）
　　　　　　　　　　　　 9位石川県（5、473戸） 12位福井県（2、752戸）

となっている。

すなわち、他の北陸3県が東北各県とそう劣らないほど、多数の移民を出し続けているのに対して、福井県は大正期に入ると、相対的に減りぎみになってきていることがわかる。

前述したように、これには福井県における繊維産業の勃興・発展が大きく関わっている

のではないかと推測できる。もちろん、これだけが全ての理由ではないとしても、大きな要素であることは間違いないと思う。

ちなみに、福井県のように、農村部に繊維産業を主体とした町工場のようなものがあちこちにある＝農家の次男三男の働き口が近くに多く散らばっている＝状況は、今、筆者の住む北海道との農村部とは、まったく異なるように見えるのだ。

(2) 幕末にもあった福井からの蝦夷地移民

福井県人の北海道（蝦夷地）への移民が、本格的・組織的に行なわれたのは、明治19年（1886）、すなわち北海道庁が創設された年に、
① 屯田兵募集に応募して東和田屯田兵村（根室市）に入植。
② 現札幌市西区の福井地区に団体移住（団結移住・集団移住）し入植。
したのが、鏑矢（かぶらや）だといえると思う。

ただ、厳密には、幕末以前（第2次幕領時代（安政元年〜明治元年、1854〜68））にも、越前の農民らが東西本願寺によって、箱館（現函館）周辺を中心に移住してきた記録がみ

える。

ここでは、このあたりのことを紹介しておきたい。

・幕末、道南の箱館付近への移民が盛んで、特に安政6年（1859）以降、幕府が開墾費、水路掘削費などを貸し付けたりしたこともあり、この地方の移民が増加した。

・その中に、東西本願寺による移民の募集があった。

うち西本願寺は、安政5年（1858）に僧堀川乗経、檀家の国領平七らが協議のうえ、箱館奉行から上磯村（北斗市）の55万坪（約181町歩）の付与を受けた。

翌6年4月、乗経らは本山にはかり、越前（福井県）、加賀・能登（石川県）・但馬（兵庫県）から農民374人を募集し濁川（旧上磯町清川、現北斗市）へ移住・開墾させた。

また万延元年（1860）には、この地に一カ寺を創立した。

この地は、のちに戸口が減少したとはいえ一部落を形成し、開拓使時代には「清水村」と称した。

注・堀川乗経（1824～78）

陸奥国＝現青森県＝生まれ。西本願寺派の僧、本山を動かして安政4年に小樽と箱館に北海道最初の同派寺宇を建立したほか、箱館市中への給水を考え、亀田川を掘割で導き（願乗寺川・堀川）、市街地が東部へ延びる要因をなした。

『北斗市史年表』によれば、安政4年（1857）10月にも、既に「箱館願乗寺休泊所を建設せしこと、但馬、加賀、越前、能登並びに南部、津軽地方の門徒を招集し、濁川の開墾に当たる」と記されている。

一方の東本願寺も安政6年、箱館御坊浄玄寺役僧の世話で、箱館奉行に亀田郡桔梗野（七飯町大川〜函館市桔梗町にかけての地域）を請い、能登・越後・常陸・秋田・南部・津軽・江差などから農民二一戸を移住させて開拓に従事させた。

そのうえでこの地を「安寧村」といい、のちの開拓使時代には「桔梗村」と改称している。安政6年（1859）から起算すると、現在（令和2年＝2020）は約160年後に当たる。

⑶　明治19年は福井県人の移民史上、記念すべき年

北海道の「屯田兵」制度は、明治7年（1874）に発足しており、翌8年3月、開拓

使札幌本庁に「屯田事務局」が創設された。初代の主任官（屯田事務局長格）に起用されたのは、元福井藩士の大山重（渡辺剛八、准陸軍大佐兼開拓少判官）であった。

そして、福井県から屯田兵募集に応募し、49人（戸）が初めて渡道してきたのは、制度発足後、十年余を経た明治19年（1886）のことだった。つまり、屯田兵創設後の初期は、主に東北地方の元士族たちが多く応募し渡道してきたが、福井県からの来道はなかったのだ。

福井県人の最初の入植先は東和田屯田兵村（根室市）で、この地は全道に配置された37兵村の中でも、とりわけ気象・住環境等が厳しい土地であった。それだけに、当時の入植者の苦労は、並大抵のものではなかったはずである。

一方、屯田兵以外の福井県からの単独移民（一般移民）については、実態を把握するのが難しいので、「団体移住（団結移住・集団移住）」についてのみ、調査してみた。

すると、幕末・安政6年（1859）前後の西本願寺派による越前、但馬、加賀・能登からの募集農民374人の旧上磯村（北斗市）入植を別格とすれば、明治新政府が北海道移民を招致して以降、福井県人が最も早く入植したのは、明治19年に札幌市西区に入植した人たちのようだ。

その入植地は「西区福井地区」として、今も地名が遺されている（同年、付近の「平和地区」にも福井県人が入っている）。

こうしてみてくると、「明治19年」という年は、福井県人の北海道移民史上、記念すべき年といえるのではないかと思う。

光陰矢の如しで、現在は北海道の屯田兵創設時（明治7年）から数えて１４５年、福井県から最初の屯田兵や団体移民が入植した年（明治19年）から１３０年（厳密には１３３年）を経ていることになる。

(4)「幸福駅」で有名になった帯広市幸福町の由来

幸福地区はかつて「幸震（こうしん）村字（あざ）幸福」という地名だったが、現在は帯広市に統合され、「帯広市幸福町」となっている。

もともと、このあたりはアイヌ語で「サツナイ」（「乾いた川」の意で、近くを流れる札内川を指す）と呼ばれていたが、入植者はこの「サツナイ」に「幸震」という漢字を当てたという。「ナイ」が「震」になった理由は、古語で地震のことが「なゐ」と言われたことに由来するといわれている。

その後、福井県からの入植者が多いことから、この地域の集落名を「福井」の一字を充当して「幸福」と名付け、現在の「幸福町」に至っている。

ところで、以前、このあたりにある「幸福駅」を舞台にしたテレビ番組が放送された。同駅やその付近を旅人が訪ねて、福井県からの開拓移民の歴史や、現在の暮らしを紹介するものだった。

番組の名は「よみがえる新日本紀行　幸福への旅～帯広～」（BSプレミアム）で、令和2年（2020）4月19日にも放送された番組だったが、実は昭和48年放送の「新日本紀行」を最新デジタル技術で鮮やかな映像（4K）にして、再放送されたものであった。

明治30年に、福井県大野から凶作などで着の身着のまま集団入植してできた集落であること、皆貧しく、人が亡くなっても各戸の土地内で遺体を焼き、自分たちで拾ってきた石に字を彫って作った墓石で埋葬したほどだったこと、今（昭和48年の初回放送当時）は52戸・444人・牛236頭・馬1頭・一戸当たり耕作面積25ヘクタールであること、住んでいる人が離農したのち、残った人たちがそれを買い集めて耕作面積を徐々に大規模化したこと、その頃は〝大豆景気〟などで豊かになってきたことなどが、淡々と語られていた。

「幸福駅」は、帯広～襟裳（えりも）岬間をつなぐ「広尾線」の帯広から5番目の駅だったが、昭和62年（１９８７）、広尾線は廃線となった。

しかし、駅名の縁起の良さと、昭和48年の「新日本紀行」放送がきっかけとなって一躍全国に知られる観光スポットとなり、駅廃止後の現在も、再整備された「幸福駅」の駅舎を訪れる人たちがあとをたたない。

(5) 中富良野町・富田ファームと福井との縁

北海道の中富良野町には、ラベンダー栽培で有名な「富田ファーム」がある。そこの富田忠雄氏が最近まで活躍されていたが、今は故人となられている。

ラベンダーブームは、諸事情で昭47年（１９７２）頃から、いったん下火になってしまったのだが、忠雄氏が復活をかけて孤軍奮闘、道を模索しているなか、昭和51年（１９７６）に至り、ラベンダー畑が国鉄のカレンダーで全国に紹介され、これを契機にしだいに観光客が訪れるようになったようだ。

ところで、富田忠雄氏の祖父・富田徳馬氏は福井県から移住した人だということが、中富良野町図書館への照会結果などで判明した（データの出典としては、岡崎英生『富良野ラベンダー物語』（遊人工房　２０１３）がある）。

富田徳馬氏は明治32年（１８９９）、福井県大野郡下庄村（現大野市の真名川左岸）の農家の次男に生まれたが、渡道していったん旧三石町の歌笛地区（現・新ひだか町三石地区）に入植した。

この前年（明治31年）、同地区には福井団体が入植しているが、徳馬氏はこれとは別に個人で入植した模様である。

4年後の明治36年（１９０３）、徳馬氏はこの地から中富良野町へ移り住んだ（入植した）とされる。はじめは米作りから入ったものと思うが、結果的にこの転住が、同家のラベンダーづくりに結びつくことになった。

ちなみに、中富良野町の「ファーム富田」（代表富田均氏）のホームページには、おおね次のようなことが年表形式で紹介されている。

明治30年（１８９７）「北海道国有未開地処分法」の制定以降、北海道の移住者が急増する

36年（１９０３）初代富田徳馬（富田忠雄の祖父）が中富良野原野に鍬を入れる

39年（１９０６）富田徳男（忠雄の父）が生まれる

昭和7年（1932）富田忠雄が生まれる
27年（1952）中富良野でラベンダー栽培が始まる
33年（1958）忠雄結婚。念願のラベンダー栽培を妻幸子とともに本格的に開始
45年（1970）ラベンダー栽培がピークを迎える（富良野地方全体で230ヘクタール以上約
　250戸がラベンダーを手掛ける）
47年（1972）ラベンダー生産界に冷たい風—合成香料の急激な技術進歩・貿易
　自由化・安価な輸入香料台頭・価格の低下など
48年（1973）富良野の丘を彩るラベンダーが、ほとんど姿を消す。稲作で生計
　を立てつつラベンダーを作り続ける道を模索
51年（1976）ラベンダー畑が国鉄のカレンダーで全国に紹介され、しだいに観
　光客が訪れる

福井県から入植した北海道移民の中では、富田家は独特の生き方をした家系だと思われる。

(6) 渋沢栄一と清水町へ入植した福井県人移民の縁

渋沢栄一（1840～1931）といえば、2024年度に刷新される予定の新1万円札の肖像画で有名な人物だが、彼の故郷は埼玉県深谷市である。

その渋沢は、明治31年（1898）北海道に「十勝開墾合資会社」を設立し、十勝川沿岸の旧人舞村（現清水町）熊牛原野の開拓を志した。

この流れをたどり、福井県などから26戸99人が現地に入植したという。

注・前述「五 (3) 福井県人が団体移住した北海道の入植先の総括（屯田兵・漁業移民を除く）」の「清水町」欄は、「本町最初の移住者は、十勝開墾会社の募集移民で、明治31年4月、福井県人・四倉四六、小竹与次郎、石川県人・中尾喜作ら26戸99人だった（外に会社職員3戸）」とのみ記述した（本誌184頁）。ちなみに、同社の初代農場長には、町村金五氏（元北海道知事。故人）の実父である町村金弥（詳細は後述）が就いていた。

この件に関連して、最近、北海道の地元紙に記事が掲載された。これによると、同社の資本金100万円は、現在の200億円に相当するという。

また、同社によるこの地の開拓の歩みは苦難の連続ではあったが、最盛期には耕作地8千㌶、小作農家550戸を抱えるまでになった、と記されている。

明治41年（1908）には、渋沢自身も現地に3日間滞在したそうだ。渋沢は、経済・社会福祉などの世界で実に多彩な活動をした人物として、広く知られているが、「地方が豊かになってこそ国が繁栄する」

という固い信念を抱いていた人でもあった。

十勝開墾合資会社は、今の言葉でいう〝地方創成〟の先駆けとして、大きな役割を果たしたと評されている。

(7) 今も福井県のルーツと交流する人びと

福井県から北海道へ集団移民した人たちの子孫が、現在でも組織的に出身地と交流しているところが、いくつか見受けられる。

筆者が把握しているのは、例えば北海道の遠別町と上砂川町のケースである。

① 遠別町は、明治30年に福井県の武生（たけふ）（現越前市）から越前団体が初めて入植したところで、特に神山地区が多かったという。

そうしたことから、同町開基100年記念事業を機に、ゆかりの地・福井県越前市の人びとと交流を始めるようになり、最近も遠別小学校と越前市の神山小学校の児童同士が交流したりしている。

② 上砂川町は、明治20年（1887）、上砂川炭田が発見されたあと、同32年に福井県の鶉（うずら）村（現福井市北西部の鶉地区。川西ブロックに属する。住民数3、400人ほど）から、山内甚之助ほか8人が入植してこの地に鍬を入れたのが発祥とされている。

大正3年（1814）、三井鉱山（株）がこの地で石炭採掘を行なって以来〝炭鉱の街〟として発展を遂げてきたが、炭鉱自体は昭和62年（1987）に閉山になっている。

なお、町名はアイヌ語の「オタウシナイ」（「オタ＝砂、ウシ＝多い、ナイ＝川」）に由来しており、行政的には昭和24年、砂川町、歌志内町の一部を分割して「上砂川町」が誕生した。

この上砂川町の町民と、ルーツである福井市鶉地区の住民は、長年交流事業を続けてきており、最近でも上砂川町長が、福井県鶉地区や福井市長を訪問する一方、上砂川中学校や福井市鶉地区の川西小学校の生徒が、互いに訪問し合ったりしているようだ。

(8) 〝不屈の開拓者〟青山奥左衛門の行動幅

福井県人の北海道移民史を調べる過程で、「青山奥左衛門」というエネルギッシュな人物のことが特に気になった。

一体、この人物のエネルギーの源は、なんなんだろうか…と。その気になる青山の行動を具体的にみていくと、次のようなことがわかってきた。

① 明治23年（1890）には、福井県から単身で渡道した。最初は札幌郡広島、島松（現北広島市）あたりに入植したようだ。

造田を試みたほか、酒造業も手掛けているといわれる。

② その後の明治29年（1896）には、十勝の利別川流域に入り、開拓に成功したようだ。

このときは、福井県足羽・丹生・坂井各郡から青山をリーダーとする福井団体が、利別原野に入植したようである。入植戸数については諸説があり、『池田町史』では27戸と記されている。

また、十勝の池田町には、青山奥左衛門にちなんだ「青山」地区の地名が残っている。

なお、青山は下利別に来てからも、私設農事試験場を設けて稲作に努め、明治31年に初めてこれに成功し、醤油醸造なども行なったという。

③

その後、たまたま農事試験場の某技手が根室地方の視察を終えて帰り、青山に対して根室は見込みがない旨を話したところ、青山は「道路を歩いて何がわかる」と憤慨。明治34年には自ら釧路支庁へでかけて、根室原野の調査に当たった。

ところが、その姿を見ていた当時の北海道庁釧路支庁長赤壁二郎が、

「どうしても根室でなければならないのか。釧路原野を拓いてはくれまいか」

と説得した。すると青山は、この要望を受け容れた。

そして先ず地図により久著呂(くしろ)原野に目をつけ、さっそくアイヌ若干名を道案内として出発。久著呂川を約4日間遡って視察した。

その結果、下久著呂から中久著呂の間、久著呂川両岸が最も有望な地だと判断、3人名義で80戸分400町歩をこの両岸地域に出願した。

一方、釧路支庁では、この時点で一人の競合者がいたが、特に機先を制して青山に許

可を与えたという。青山は許可を得ると、翌35年6月、福井・福島・岩手各県から移民20余名を募集した。

途中、大雪におびえた福島県移民4人が、夜中に逃亡する事件があったものの、青山は残りの移民を極力慰撫(いぶ)して現地・鶴居村に入植させた。

こうした経過を経て、この地はまもなく「青山農場」と称されるようになった。青山は鶴居村下久著呂に私費を投じて、簡易教育所を設けたりもしている。

(9) 北海道酪農の基礎を築いた町村金弥

町村金弥（安政6年～昭和19年、1859～1944）は、福井県の越前市（旧武生(たけふ)市）出身者だが、若くして渡道し北海道酪農の基礎を築いてその先駆者となり、のちには〝日本の酪農の草分け〟とも評され人びとの尊敬を集めた。

町村家は、越前府中領主・本多家に仕える武士（奉行職などをつとめた）の家系だったようだ。

同家第9代当主・町村織之丞・こう夫妻の長男だった金弥は、府中の立教館、愛知県英語学校、東京の工部大学校予科などに学ぶ。同予科では、英国人教師ハミルトンの教えを受けたという。

その後の明治10年（1877）8月、開拓使官船玄武丸で品川を出帆して小樽に上陸。そこから乗馬で札幌へ向かい、札幌農学校へ入学した。

この頃の同期生（2期生）に、宮部金吾、新渡戸稲造、内村鑑三、南鷹次郎ら18人がいた。

金弥はここで御雇い外国人ブルックスやエドウィン・ダンらから、米国式の大農経営を実地に学んでいる。

明治14年（1881）7月、同校を卒業すると開拓使御用掛に採用された。そして真駒内牧牛場係に配属されて、ダンの指導のもと大農経営法を身につけた。

その後は手腕を買われ、樺戸（かばと）の北越殖民社農場、雨竜の華族組合農場や十勝開墾合資会社などの開墾事業指導に当たった。

そのほか、北海道製麻雁来直営農場や北海道製糖野幌直営農場の設計・指導にも携わった。

さらに明治34年（1901）、陸軍省専任技師として釧路・白糠地方の馬の大牧場選定や施設づくりにも協力。馬産地の基礎をつくったほか、岩手県の岩手種馬牧場、福島県の福島種馬所の経営に貢献した。

金弥の最期は昭和19年（1944）で、郷里の旧武生で亡くなっている。享年86。

金弥は多くの農場や大牧場の開設・経営に参加したが、忘れてはならないのは、北海道酪農界を代表する宇都宮仙太郎（大分県出身）及び町村敬貴（よしたか）を養成したことだ。

町村敬貴（1882～1969）は金弥の長男であり、やはり札幌農学校を卒業したあと渡米して10年間にわたり酪農業を学んだ。ウィスコンシン州立農科大学を卒業、大正5年（1916）には石狩町（現石狩市）で酪農業を始め、昭和2年（1927）、江別市に移り農・牧場を経営した。

北海道知事、自治大臣（北海道開発庁長官兼務）などを務めた町村金五（1900～92）は金弥の五男で、金五の次男が内閣官房長官・外務大臣などをつとめた町村信孝（1944～2015）である。

⑽　元福井藩士の徳島県知事・関義臣の20万人北海道移住計画

拙著『歴史探訪　北海道移民史を知る！』にも触れたが、四国、特に徳島県からの北海道移民が多い原因を調べていくと、ある元福井藩士の存在が影響していることに気がついた。

その人物の名は「関義臣（せきよしおみ）」（別名山本龍二郎）である。彼の略歴については人物事典などで概ね次のように紹介されている。

「1839～1918。越前藩士。越前藩重臣本多氏の家臣山本五左衛門の二男。府中（旧武生市。現越前市）生まれ。藩校明道館で学び橋本佐内の指導を受ける。昌平坂学問所に入り舎長。その後、坂本龍馬の亀山社中の一員となり、海援隊結成にも参加。明治元年大阪府権惨事、営繕局長となるが翌年「武生騒動」に連座、入獄。のち大蔵省を経て宮城控訴院検事長、大審院検事総長心得。徳島県・山形県知事を歴任。明治30年貴族院議員。同40年男爵」

こうして見ると、坂本龍馬の配下で亀山社中・海援隊で活躍し、明治維新後、開拓使に転身した元越前藩士の大山重、山本洪堂とよく似た経歴を持った人物であることがわかる。福井藩がこうした人物を輩出したのも、同藩の藩主松平春嶽の存在が影響しているのだろう。

ところで、明治25年（1892）7月の『徳島日日新聞』に、「関義臣徳島県知事が徳島県民20万人（4万戸）を10年かけて北海道へ移住させる」という計画案のことが掲載された（ちなみに、関の徳島県知事在任期間は、明治24～26年であった）。

当時の徳島県民の人口は約70万人なので、その3分の1近い膨大な人数だ。

しかし、この破天荒にもみえる関の移住奨励策の発表には、それなりの背景があった。当時、徳島県の基幹産業だった「阿波藍」生産業の衰退―同県の産業構造の停滞と不振である。

関は過剰人口を北海道へ移住・植民させ、双方の発展を画策したのだった。

その後の関の辞職により、その案は直接的には実現に至らなかったが、同県の北海道移住策はその後も展開されていくのだ。

例えば「那賀郡北海道殖民同盟会」の活動は、代表的な事例であり、ほかにも明治中期以降、吉野川流域の藍作地帯や、県南各地から阿波団体や徳島団体と呼ばれる農民たちが、北海道へ団体移住をしたり、徳島県人によって多数の農場が北海道内各地に開設されたりしていった。

足寄郡陸別町の開拓にまい進した関寛斎や、余市郡仁木町の町名のもとになった仁木竹吉らの活躍もよく知られている。

その結果、徳島県は「最も積極的な北海道移民県」として、移住人数では全国12番目、西日本では香川県と並んで卓越した移住県となり、開拓期の北海道の発展に実に大きな役割を果たしたのである。

⑾ 和人移住とアイヌ民族の関わり

福井県からの移民に関わる特有の問題ではないが、和人の移民がアイヌに及ぼした影響について、一般論として触れておきたい。

この問題は、筆者としては、前述の著書『歴史探訪　北海道移民史を知る！』の執筆以来、ずっと気になっていたことでもある。

明治8年（1875）、ロシアと「樺太・千島交換条約」が結ばれた際、樺太在住のアイヌ108戸841人を強制的に対雁（ついしかり）（江別市）へ移住させた事件が起きた。見方によっては、当時の国際関係に起因する特殊の事件とも位置付けられよう。

しかし、その後も和人移住の増加や市街地の発展、移住する和人用の殖民地区画の設定などによって、北海道内でアイヌの生活圏が狭められ、住み慣れた場所を追われる事態が起きているのである。

そうした事例は全道で数多いのだが、ここではそのうちの3例を紹介することとしたい。

① 明治22年（1889）8月、奈良県吉野郡一帯を襲った豪雨で大被害を受けた十津川郷6カ村の住民約600戸・2、480人が、政府の援助を受けて北海道へ移住することになった。

その入植先として選ばれたのが、樺戸郡のトック原野で、11月、ここに殖民地の区画測設が行なわれた。

北海道庁はこの区画設定に当たり、中徳富上二号のウシスベツに、アイヌ給与地として32区画（46万9、250坪）を存置し、翌23年の十津川移民入植時に、トックのアイヌや隣村の浦臼村・雨竜村のアイヌ26戸を、この地に入地させた。

すなわち、トック原野が十津川移民の入植地とされるので、トックや浦臼・雨竜に住んでいたアイヌが、ウシスベツに強制移住させられるという、皮肉な結果を招いている。

② 道東の釧路では、明治2年以降、和人が多く移住し、市街地の人口が増加したので、釧路のアイヌは明治18年（1885）、阿寒郡のセツリ川上流に強制的に移住させられた。しかもその後、漁業組合の出願でセツリ川をサケの天然孵化場にするため、遡上時期のサケ捕獲を禁止したため、アイヌは釧路近郊の春採に再移住する者も出ているのである。

③ 明治28年（1895）には、日高の新冠御料牧場地域内の滑若村に居住していたアイヌが、強制的に他地域（新冠郡姉去村と万揃村）へ強制移住させられる問題も起きている。

以上のほか、詳細は略するが、もともとアイヌの土地だったものが、誤った行政措置で和人に処分されてしまうケースが、あとを絶たなかったといわれている。

注・以上は、主に榎森進『アイヌ民族の歴史』（草風館）、関口明ほか『アイヌ民族の歴史』（山川出版社）などを参考として記述した。

⑿ 大和田荘七の活躍と残された地名

移民史の話とはやや異なるが、福井県人に大和田荘七（１８５７〜１９４７）という人物がいる。

敦賀市の出身で、北前船主だった大和田家の養子となり実業家として名をなした。敦賀港の開港運動や大和田銀行の創立などで大いに地元に貢献したのだが、北海道にも縁が深かった。

彼は、明治38年（１９０５）、留萌市の「大和田炭鉱」経営者となった。この大和田炭鉱は、留萌市南東にある留萌炭田の初期の中心炭鉱であった。

石炭積み出し港から近く、また炭質もよかった。従業員も最盛期には７００人近くを抱え、最大出炭のあった昭和33年（１９５８）には、出炭量7万5、０００㌧を超え、留萌市の全産業生産高の11パーセントを占めたといわれている。

炭鉱のあった留萌市大和田町には、現在も「大和田」の町名が残されており、明治末期から昭和30年代にかけて、人口３、０００人余りの一大集落を形成していた。

飲み屋街が活況を呈し、映画館や病院、学校などもあったが、現在は廃墟となっている。

なお、会社組織の経過を見ると、明治32年（1899）創業のメンコ炭山、同38年創業の金喜鉱山などが同40年に併合して大和田炭鉱合資会社となり、大正7年（1918）、北海炭業大和田炭鉱となった。

同14年にいったん閉山、その後も再開したりして変転があるが、昭和34年（1959）7月に閉山し会社は解散している。

⒀ 越前河野村ルーツの南弥太郎家の活躍

前記第二章六（「福井県からの漁業移民史」）の項で、北海道立文書館の私文書（南弥太郎家文書）を引き合いに、南弥太郎についての概略を紹介したが、この項ではもう少し詳しく説明しておきたい。

南弥太郎は、道内外でも余り知られていない人物だが、筆者としては今回の調査で、もっと注目されてよい人物だという確信を深めたからである。

福井県河野村（現南条郡南越前町）は、今足を運んでみると、越前海岸に近い寒村という印象が拭えない。

しかし、かつては日本海や瀬戸内海をまたにかけて活躍していたわが国有数の北前船主・右近家や中村家があり、大いに栄えていた。

南弥太郎という人物は、ここの右近家9代目当主・右近権左衛門の庶子として、万延元年（1860）河野村に生まれた。のちに南養七の養子となり、その姓を名乗ったようだ。

その後は右近家の北前船頭のひとりとして、明治13年（1880）に長福丸、同16年～22年（1883～89）に永好丸に乗って、北海道と大坂（大阪）を行き来した。

明治32年（1899）には小樽郡港町に寄留して、小樽郡や高島郡にある右近家の財産の管理を任された。そののち明治34年（1901）には、高島郡高島村（現小樽市高島）の高島稲荷神社の下に居を構えて漁業経営を行ない、内妻の高橋ミセは湯屋業を開業した。

初期には、高島前浜のカヤシマ岬からポントマリにかけた6統のニシン定置網漁場や、同家の宅地や海産干場の一部を、右近家から借用していた。

大正8年（1919）、初代弥太郎が逝去すると19歳の長男邦太郎が「2代目南弥太郎」を襲名。石油発動機船の購入、漁業権の取得など、積極的な経営を行なった。

こうして南家は財を蓄え、大正11年（1921）の高島海岸の埋め立てや、同13年に白鳥家から土地の購入及び漁場の譲渡がなされたことを契機として、ニシン漁業の拠点を祝津（現小樽市祝津）へ移した。

高島の本宅、湯屋に南家の拠点はあるものの、ニシン漁業の時期になれば、弥太郎は労働者とともに祝津（現小樽市祝津）へ移動し、漁期後には高島へ戻るという行動をとっていたのだ。

なお、南家は漁業労働者を募集する際は、秋田県山本郡から行なっていたことが、判明している。


『小樽区外七郡案内』では、弥太郎と寺田大吉が高島の高名な漁業家としてあげられている。大正7年の『漁業家番附』にも、「前頭」に弥太郎の名があり、この番付で高島郡の「前頭」とされた者は、ほかに「祝津の御三家」のみである。

ただし、南家が単独経営を行なったニシン漁業は、昭和11年（1936）を最後に、いったん幕が閉じられている。

その後、高島村（現小樽市高島）に居を定め、ニシン・サケの定置網漁、カレイ（鰈）手繰網漁、タラ釣漁兼製造業、ホタテ漁、ニシン刺網漁などを営んだ。

以降、戦後に至るまで南家3代が小樽・高島で漁業を営んだが、この間の大正7年（1918）には伊部仲治らと合資会社・高島共益組を創立した。また昭和11年（1936）には忍路村の須摩太吉とイワシ定置網の共同経営に着手したという。

注・以上は北海道立文書館所蔵資料のほか、服部亜由未『近代北海道における鰊漁業の歴史地理学的研究―退期に注目して―』（2013）及び同『大正・昭和初期の鰊漁業の衰退にともなう漁家経営の変容―北海道高島郡南家を事例に―』（人文地理第63巻4号　2011）を主に参考として、記述した。

おわりに

本稿の執筆を終えるに当たり、頭に浮かんだことがいくつかある。

そのひとつが、本文の「…こぼれ話」でも触れたが、「幸福駅」（帯広市幸福町に残る駅）を舞台にしたテレビ放送番組のことだ。

旅人が幸福駅やその付近の農家などを訪ね歩いて、福井県からの開拓移民のたどった足跡や現在の人びとの暮らしぶりを紹介したものだったが、全体に雪深い場面が多く、寒々しいシーンが多かったこともあり、実に印象に残った。

この放送は令和2年（2020）4月19日に放送されたのだが、実は昭和48年（1973）放送の「新日本紀行」を鮮やかな映像（4k）にして、再放送したものだった。

番組の中では、この地が明治30年に福井県大野から集団入植してできた集落であること、初めは皆貧しく、例えば、人が亡くなっても各戸の所有地内で遺体を焼き、自分たちで拾ってきた石に字を彫って作った墓石で埋葬したこと、住んでいる人が離農すると、残った人たちが跡地を買い集めて耕作面積を大規模化していったこと、今（昭和48年放送当時）は〃大豆景気〃などで比較的豊かになってきたことなどが、淡々と語られていた。

また、農機具の機械化が進む中でも、これまで愛情を注ぎながら使ってきた農耕馬を手放すにしのびず、息子の意見にも耳を貸さずに農耕馬を使い続ける老父の作業風景などにも心を打たれた。

さらには、地元農家の娘さんが花嫁衣裳姿で父母ら親族に別れを告げ、嫁ぎ先へ巣立って行く場面、そしてその後ろ姿を、体の不自由な老祖母が窓から身を乗り出しながら涙目で見送る場面にも、感動した。

今や住民も開拓当初からすれば、３代目ぐらいの世代になっているようだった。

この幸福地区は、現在帯広市に統合され、「帯広市幸福町」となっている。この地区にあった「幸福駅」は、帯広～襟裳（えりも）岬間をつなぐ「広尾線」の帯広から5番目の駅だったが、広尾線は昭和62年（１９８７）に廃線となった。

しかし、駅名の縁起の良さと、昭和48年の「新日本紀行」放送がきっかけとなり、それ以降、観光の一大スポットとして全国に知られるようになった。今でも再整備されたこの駅を訪れる観光客はあとをたたず、筆者も足を運んだことがある。

なお、本文でも触れたように、北海道移民は大水害被災を含む様々の事情でやってきたわけだが、そのことが結果として、アイヌの人びとにマイナスの影響を及ぼしている、という側面があることを忘れてはならないと思う。

また、移民の現地入りに貢献した「駅逓所」の存在について再認識させられた。

著者は福井県生まれでありながら、縁あって人生の大半を北海道で過ごしている。道産子と結婚して家庭も持った。

そうしたこともあり、北海道の歴史をはじめ、この地のあらゆることに道産子以上に興味を持っている。そして多くのことを語り、また本にして出版し、道内外の公共図書館などにも寄贈してきた。こんどの本も、その延長線上にある作品である。

今後、この本が福井県人、北海道で暮らしている福井県移民（屯田兵を含む）の末裔をはじめ、多くの方々の目に触れることを心から期待して、筆を擱くしだいである。

最後にひと言。本稿執筆の終盤、人類は過去に例のない新型コロナ騒ぎの真っ最中で、筆者も講演などの外部諸活動は、まったくできない日々が続いてきた。つまり、「巣ごもり」生活を長期間、余儀なくされてきたわけだが、本稿を脱稿できたことで、ささやかではあるがこの宿命に〝一矢をむくいることができた〟ような気がしている。（完）

《主な参考文献》

『北海道移民史』北海道庁拓殖部・同部植民課片山敬次執筆　１９３４
安田泰次郎『北海道移民政策史』生活社　１９４１
田中彰ほか『北海道開拓と移民』吉川弘文館　１９９６
伊藤廣『屯田兵の研究』同成社　１９９２
伊藤廣『屯田兵物語』北海道教育社　１９８４
『新北海道史』第３巻　通史　北海道　１９７１
上原轍三郎『北海道屯田兵制度（復刻版）』北海学園出版会　１９７３
北海道屯田倶楽部ホームページ
北海道内各市町村ホームページ
札幌市各区役所／北斗市／上砂川町／遠別町／中富良野町ほか
北海道屯田倶楽部『屯田』第51号　２０１２
『北海道移住』福井県立歴史博物館編　２００４
『日本帝国統計年鑑』１８８５～１９１１

『北海道庁統計書』北海道庁　１９１２以降
北海道開拓の村解説シート「移住」１、２、３
『災害を契機とした北海道への移住事例』北海道大学大学院（農学院）　２０１４
田端宏ほか『北海道の歴史』山川出版社　２０００
木村尚俊ほか『北海道の歴史60話』三省堂　１９９６
関秀志ほか『北海道の歴史　下　近代・現代編』北海道新聞社　２００６
隼田嘉彦ほか『福井県の歴史』山川出版社　２０００
印牧邦雄『福井県の歴史』山川出版社　１９９２
『福井県史通史編５　近現代』福井県　１９９４
福井県文書館ｗｅｂ『デジタル歴史情報』
福井県編『図説福井県史』福井県　１９９８
『函館市史』デジタル版
北国諒星『歴史探訪　北海道移民史を知る！』北海道出版企画センター　２０１６
北国諒星『開拓使にいた！龍馬の同志と元新選組隊士たち』北海道出版企画センター　２０１２
北国諒星『青年公家・清水谷公考の志と挫折―箱館裁判所・箱館府創設と箱館戦争の狭間』北海道

出版企画センター　2019
中村英重『北海道移住の軌跡―移住史の旅―』高志書院　2000
津村節子『絹扇』新潮社　2006

北海道内関係各市町村史

『新札幌市史』第2巻通史　札幌市　1991／『南幌町百年史』上巻　南幌町　1993／『奈井江町百年史』上巻　通史編・『同資料編』　奈井江町　1990／『奈井江町史』奈井江町　1975／『長沼町の歴史』上巻　長沼町　1962／『新千歳市史』通史編　上巻　千歳市　2010／『函館市史』通説編第2巻　函館市　1990／『岩内町史』岩内町　1966／『八雲町史』八雲町　1957／『ニセコ町百年史』上巻　ニセコ町　2002／『三石町史』三石町　1971／『初山別村史』初山別村　2013／『幌延町史』幌延町　1974／『遠別町史』第2巻（開拓記念百年史）遠別町　2003／『富良野市史』第1巻　富良野市　1968／『池田町史』上巻　池田町　1988／『新広尾町史』第1巻　広尾町　1978／『新中札内村史』中札内村　1998／『中札内村史』中札内村　1968／『本別町生活誌―開町100年を記念して』本別町　2002／『新得町史』新得町　1990／『清水町50年史』清水町　1953／『清水町百年史』清水町　2005／『鶴居村史』鶴居村　1987／『北見市史』上巻　北見市　1

985／村上茉実『新得町』／『北海道十勝―新得町』／『帯広の百年』帯広市　1982ほか
「渋沢栄一が開いた町」北海道新聞　2020年3月3日付記事
斎藤兵市『漁民生活史の研究―北海道漁村の事例研究―』ネット資料
岡崎英生『富良野ラベンダー物語』遊人工房　2013
高倉新一郎編『新しい道史』第4巻第6号　1966
北海道立文学館所蔵『私文書　南弥太郎家文書』
服部亜由未『近代北海道における鰊漁業の歴史地理学的研究―衰退期に注目して―』2013
同　「大正・昭和初期の鰊漁業の衰退にともなう漁家経営の変容―北海道高島郡南家を事例に―」(『人文地理』第63巻4号) 2011
榎本進『アイヌ民族の歴史』草風館　2007
関口明ほか『アイヌ民族の歴史』山川出版社　2015
北海道編『新北海道史年表』北海道出版企画センター　1989
『福井県大百科事典』福井新聞社　1991
『常設展示解説書6　北のくらし』北海道開拓記念館　1978
佐藤一夫『北に描いた浪漫―先駆者・高畑利宜とその時代』北海道出版企画センター　1990

〈著者略歴〉

北国諒星（ほっこくりょうせい）

1943年福井県坂井市生まれ。札幌市在住。　金沢大学法文卒。北海道開発庁（現国土交通省）に入り北海道開発局官房長を経て歴史作家・開拓史研究家。「趣味の歴史（開拓史）講座」主宰。一道塾塾頭。北海道屯田倶楽部理事、北海道りょうま会・松本十郎を称える会各会員。2006年３月『魂を燃焼し尽くした男―松本十郎の生涯―』で第26回北海道ノンフィクション大賞受賞。2016年11月瑞宝中綬章受賞。主な著書に＊『青雲の果て―武人黒田清隆の戦い―』、＊『えぞ侠商伝―幕末維新と風雲児柳田藤吉―』、『幕末維新　えぞ地にかけた男たちの夢―新生“北海道”誕生のドラマー』、『幕末維新　えぞ地異聞―豪商・もののふ・異国人たちの雄飛―』、『さらば・・えぞ地　松本十郎伝―』、『異星、北天に煌めく』（共著）、『開拓使にいた！龍馬の同志と元新選組隊士たち』、『北垣国道の生涯と龍馬の影―戊辰戦争・北海道開拓・京都復興に足跡―』、『歴史探訪　北海道移民史を知る！』、『北前船、されど北前船―浪漫・豪商・密貿易』、『青年公家・清水谷公考の志と挫折―箱館裁判所・箱館府・箱館戦争の狭間―』（いずれも北海道出版企画センター）

＊印の２冊は本名を用いて刊行。　（本名　奥田静夫）

福井県と北海道の縁（えにし）

―北海道移民史を中心として―

発　行　　2020年９月10日

著　者　　北　国　諒　星

発行者　　野　澤　緯三男

発行者　　北海道出版企画センター

〒001-0018　札幌市北区北18条西６丁目２-47

電　話　011-737-1755　ＦＡＸ　011-737-4007

振　替　02790-6-16677

ＵＲＬ　http://www.h-ppc.com/

E-mail　hppc186@rose.ocn.ne.jp

印刷所　　㈱北海道機関紙印刷所

乱丁・落丁本はおとりかえします

ISBN978-4-8328-2003-6 C0021